MANK

Labyrint

HENNING MANKELL

Labyrint

Uit het Zweeds vertaald door
Janny Middelbeek-Oortgiesen

DE GEUS

26. 02. 2007

Oorspronkelijke titel *Labyrinten*, verschenen bij Ordfront
Oorspronkelijke tekst © Henning Mankell, 2000
Nederlandse vertaling © Janny Middelbeek-Oortgiesen en
De Geus BV, Breda 2007
Published by agreement with Ordfront Förlag, Stockholm, and
Leonhardt & Høier Literary Agency aps, Copenhagen
Omslagontwerp De Geus BV i.s.m. Robert Nix
Omslagillustratie © John Hooton/Trevillion Images
Foto auteur Ulla Montan
Druk GGPMedia GmbH, Pößneck
ISBN 978 90 445 0416 3
NUR 331, 305

INHOUD

VOORWOORD

In het voorjaar van 1995 besloot ik te schrijven over een van de grootste mislukkingen in het naoorlogse Zweden: de maatregelen tegen economische delicten die voortdurend met veel politieke tamtam werden gepresenteerd, maar die ook voortdurend strandden.

Halverwege de jaren tachtig was al te zien dat de pogingen om een fatsoenlijke Zweedse maatschappij op te bouwen definitief stukliepen. De machthebbers probeerden toen niet eens meer om de scheuren te verbergen. De heen en weer zwaaiende slopersballen van de vrijemarktwerking konden ongestoord hun verwoestende werk doen. Je kon waarnemen dat als middelpunt hiervan lege BV's en belastingvlucht in omvang toenamen. Een sociaal-democratische minister van Justitie moest aftreden na al te duidelijke 'belastingplanning'. Economische delicten werden steeds beter georganiseerd en namen steeds arrogantere vormen aan. Het nieuwe leger dat hiertegen moest optreden, de nieuwe fraudeteams die in het leven waren geroepen, bleef echter mensen opsporen die zich schuldig hadden gemaakt aan eenvoudige boekhoudkundige malversaties. De kleine vissen werden eruit gehaald terwijl de grote haaien vrijer rondzwommen dan ooit. De miljardenbedragen aan zwart geld namen dramatisch in omvang toe. Ik vond het belangrijk om erover te schrijven dat de Zweedse wetgeving en het justitieel apparaat de mensen die zich hieraan schuldig maakten bijna immuniteit garandeerden. Ik was geschokt. Ik sprak met officieren van justitie en politiemensen die net zo geschokt waren als ik. Om nog maar te zwijgen over alle burgers, die voelden dat de wind in de samenleving steeds killer en harder werd.

Het begon met een boek waaraan ik de werktitel *Labyrint* gaf. Maar na ongeveer een maand, in april 1995, kreeg ik twijfels. Het

7

leek er namelijk op dat ik eigenlijk aan een script zat te werken. Een filmscenario. Na nog een maand of wat te hebben nagedacht, stapte ik over op een ander genre. Ik schreef het script voor een televisieserie, dat in 1999 werd verfilmd.

Ik heb ervaring als dramaturg en weet dat het verstandig is niet op de set te komen. Tijdens opnameprocessen komt er vrijwel altijd een bepaald punt waarop iedereen ophoudt met roepen om de schrijver en hem het liefst niet meer wil zien. Dat is begrijpelijk. De acteurs en de regisseur zijn verantwoordelijk. Ik had bovendien de regisseur gekregen die ik wilde hebben: Daniel Bergman. Hij legde de lat hoog. Toen er in Västervik gefilmd werd, ging ik er echter toch langs. Dat was tijdens een paar koude januaridagen waarop een aantal buitenopnames werd gedraaid. 's Avonds in mijn hotel lag ik wakker. Iets hield mij uit de slaap en uiteindelijk besefte ik wat het was.

In mijn hoofd begon *Labyrint* zich opnieuw tot een boek te transformeren. Wat ik aanvankelijk niet had begrepen, besefte ik nu: waar ik mee bezig was, kon beide zijn. Enerzijds een televisieserie, anderzijds een boek. Er zat genoeg materiaal in voor beide.

Er ging een paar maanden overheen, voordat ik besloot in omgekeerde richting te werk te gaan en het filmscenario uit te schrijven, terug naar het uitgangspunt. Naar het boek waaraan ik vier jaar eerder was begonnen.

Deze tekst is deels gebaseerd op het televisiescript en deels op het concept uit 1995 dat ik nog had. Wie in de tv-serie zoekt naar exacte overeenkomsten met het boek zal die niet vinden. Een boek en een film slaan altijd verschillende wegen in. Een cruciaal verschil is dat het script zes hoofdstukken besloeg, terwijl de televisieversie uiteindelijk uit vijf delen bestond. In dat opzicht heb ik me aan de oorspronkelijke versie gehouden.

Dat betekent ook dat dit boek op zichzelf staat. Zoals ook de televisieserie van Daniel Bergman op eigen benen staat.

Het is echter wel hetzelfde verhaal. In twee talen verteld. Die van de film en die van het geschreven woord.

Maar waar het vooral om gaat, is natuurlijk de kwestie van de verdere expansie van economische delicten. Of om een bestrijding daarvan die naam mag hebben.

Henning Mankell
Göteborg, februari 2000

I

De weldoener

I

Het is herfst, bijna winter. Ergens in de provincie Småland rijdt
een auto over een bosweg. Her en der zijn plekken waar sneeuw
ligt, de bomen staan dicht opeen. De auto stopt bij een stapeltje
boomstammen waar ook al een andere auto staat. De man die
uitstapt heet Mats Hansson. Hij is een veertiger, gekleed in een
regenpak.

Uit de andere auto stapt een man in een elegant kostuum. Hij
loopt voorzichtig over de modderige weg om zijn schoenen niet
smerig te maken. Het is Bengt Ingemarsson, ook een veertiger.
Hij heeft een brede, open glimlach. Hansson drukt hem een
paspoort in handen: 'Bengt Ingemarsson'. Vervolgens krijgt hij
nog een paspoort: 'John Burton'. Als laatste krijgt hij een paspoort waarin een Deense naam voorbijflitst. Daarna schudden de
twee mannen elkaar de hand.

Mats Hansson blijft staan terwijl Bengt Ingemarsson glimlachend en ontspannen in de auto van Hansson wegrijdt. Wanneer
de auto is verdwenen opent Mats Hansson het portier van Ingemarssons auto. Voorzichtig zet hij er een koffer in. Vervolgens
loopt hij weg. Hij jogt door het bos. Wanneer hij na een poosje op
een hoger gelegen uitkijkpunt is gekomen, blijft hij staan en draait
zich om. Hij speelt wat met een paar dennenappels en kijkt op zijn
horloge.

Even later klinkt er een knal en boven de bomen stijgt een
rookwolk op. Hansson blijft naar de rook staan kijken. Dan gooit
hij de dennenappels weg, draait zich om, begint weer te joggen en
verdwijnt uiteindelijk tussen de bomen.

2

Er zijn twee jaar verstreken. Opnieuw is het herfst. Langs de verst gelegen, kale rotseilandjes op zee zoekt een bootje zich een weg tussen de blinde klippen. Twee zeevogeljagers gaan op een rots aan land nadat ze een paar houten lokvogels hebben uitgezet.

Opeens ontdekt een van de jagers een schedel die in een spleet tussen het graniet vastzit. De schedel is bruin en zit onder de meeuwenpoep. De mannen beginnen rond te kijken, maar kunnen verder niets vinden. Geen skelet. Ze zijn onaangenaam verrast en zien daardoor niet dat een vlucht zeevogels vlak langs het eilandje scheert.

3

Een eenzame zeilboot ligt afgemeerd in een oude vissershaven die tegenwoordig vooral door zomergasten wordt gebruikt. De boot had allang aan land moeten worden gehaald. De havenwinkel is open, maar alles is helemaal verlaten. Er bevindt zich maar één persoon op de kade: een vrouw die het koud heeft en een sigaret rookt. Ze stampt met haar voeten om warm te blijven. De wind vanaf zee is kil. De vrouw die daar loopt is in de dertig, heet Louise Rehnström en is officier van justitie. Op dit moment ziet ze er echter vooral uit als een in de steek gelaten zeiler. Haar waterdichte broek is te groot. Ze wacht ongeduldig.

Twee politieauto's rijden langzaam naar de haven. Een agent genaamd Tornman steekt een hand door het raampje en zwaait in de richting van het rode gebouw van de kustwacht.

4

Louise en Tornman gaan aan boord van een van de grijsblauwe schepen van de kustwacht. Het vaartuig verlaat de haven en gaat de zee op. Ondanks de kou staat Louise aan dek. De agenten in de stuurhut praten met elkaar en met de schipper over de vrouw die buiten staat. De boot vaart hard, zo'n dertig knopen.

5

Het vaartuig is afgemeerd bij het rotseilandje. Louise en Tornman gaan aan land. Een kleiner politievaartuig ligt er al, evenals de houten boot van de vogeljagers. Een gerechtsarts en een technisch rechercheur die tevens fotograaf is, glibberen rond over de rotsen. Louise loopt langzaam naar de spleet waarin de schedel ligt. Ze is nu nerveus en heeft het erg koud.

Eenmaal aangekomen bestudeert ze het gebit in de schedel. Haar nervositeit gaat over in opluchting. Ze kijkt nadenkend rond; ze probeert zich een beeld te vormen. Dan wendt ze zich tot de arts.

'Kun je al iets zeggen?'

'Nee...'

'Een misdrijf?'

'Dat weet ik nog niet.'

'Wat kun je over hem zeggen?'

De gerechtsarts, die Lundström heet, wijst geïrriteerd naar de schedel, die behoorlijk toegetakeld is. Hij houdt niet van gissen.

'Ik weet nog niet eens of het een man is...'

Hij gaat systematisch verder met zijn werk. Louise keert terug naar het schip van de kustwacht. Ze glijdt uit. De agenten slaan haar gade. Niet onwelwillend, maar ook niet vriendelijk. Opeens klinkt er een geweerschot. Iedereen schrikt op. Het is afkomstig van een van de jagers, die het niet kon laten op een eidereend te schieten.

6

Een leeg restaurant in de haven. Het is nu middag, het schemert al. Koud tot op het bot zijn ze van het rotseiland ver in zee teruggekeerd. Louise zit koffie te drinken. De arts komt bij haar aan tafel zitten samen met Tornman, die de leiding over het onderzoek heeft. Door het raam ziet Louise hoe een zwarte plastic zak uit het vaartuig van de kustwacht aan land wordt gebracht en in een van de politiewagens wordt gelegd. Lundström kijkt dromerig uit over de zee.

'Ik ga hier 's zomers altijd zeilen…'

Louise onderbreekt hem.

'Wat heb je gezien?'

Lundström lijkt haar vraag echter niet te hebben gehoord. Hij blijft dromen over de zomer.

'De zee en het land. Het is net een omhelzing die haar bekoring nooit verliest. En dan de bodemverheffing die we niet zien, maar die er wel is. Dat is poëzie die al het andere overtreft…'

'Wat heb je gezien?'

'Een drijfnet dat is losgescheurd. Wrakstukken.'

Dan raakt hij de draad van zijn gedachten kwijt. Louises vragen irriteren hem.

'Het is te vroeg om die vraag te beantwoorden. Ik weet niet wat ik heb gezien. Een schedel. Wat heb je zelf gezien?'

'Een man of een vrouw?'

'Een man. Maar zelfs dat is niet zeker.'

'Hoe lang ligt hij daar al?'

Lundström werpt Tornman een vermoeide blik toe. Kan ze

haar mond niet houden? Tornman zet zijn koffiekopje neer en neemt Louise op.

'Die jagers zeggen dat ze daar twee jaar niet aan land zijn geweest. En er schijnt verder ook niemand te zijn geweest. Het is eigenlijk niet eens een eilandje. Het is niet meer dan een stuk rots.'

'Hoe is hij aan zijn eind gekomen? Dat wil ik weten.'

'Ik ook. Wie is hij, als het althans een man is? Hoe is hij daar gekomen? Wat deed hij daar? Waar is de rest van het skelet? Dat soort dingen wil ik allemaal weten, maar dat gaat tijd kosten.'

Louise reageert ongeduldig.

'Ik heb je niet gevraagd om mee te gaan', zegt Tornman. 'Jij wilde zelf het recherchewerk in het veld volgen.'

'Misschien is het "De grote weldoener" wel', barst Lundström opeens uit terwijl hij zichzelf nog een kop koffie inschenkt.

Tornman neemt hem aandachtig op.

'Nee, verdomd zeg... Wat zou hij daar te zoeken hebben gehad?'

'Wie?' vraagt Louise.

'Er was eens een man die hiernaartoe kwam om de streek te redden', zegt de gerechtsarts. 'En die vervolgens is verdwenen. Spoorloos.'

'Bengt Ingemarsson', vult Tornman aan. 'Die hier met allerlei grote plannen kwam en wilde investeren. Jij was hier toen niet. Je studeerde toen waarschijnlijk nog. Maar er kwam helemaal niets van terecht. Het geld verdween en opeens was hij zelf ook verdwenen. Ze hebben geprobeerd hem op te sporen, maar hij is nooit meer boven water gekomen.'

'Ik kan me hem wel herinneren.'

'Jij woonde hier toen toch niet?'

'Hij stond toch in elke krant. Zou hij het echt kunnen zijn?'

'Op dit moment kan het iedereen zijn. Een zeeman uit Estland. Of een dronken zomergast. Bengt Ingemarsson zit waarschijnlijk hoog en droog ergens te genieten.'

Louise staat op. In haar grote waterdichte broek ziet ze er opeens uit als een kind.

'Bedankt voor het… studiebezoek. Ik moet nu gaan.'

Ze vertrekt. Lundström kijkt haar na.

'Waar bedankte ze nou voor? Een doodshoofd?'

'Ze wordt vast een goeie', antwoordt Tornman vergoelijkend. 'Maar ze is de eerste vrouwelijke officier van justitie met wie ik te maken heb.'

'Waarom is ze meegegaan?'

'Dat zei ze al. Een studiebezoek. Dat moet, tegenwoordig. Maar ze is wel vergeten de koffie af te rekenen. De trut.'

7

Veel te hard rijdt Louise in haar rode autootje over de smalle wegen langs de kust. Plotseling moet ze remmen. Een vrachtwagen heeft een eland aangereden, die dood op de weg ligt. Er ontstaat een opstopping, een kleine file van auto's. Louise stopt en stapt uit. De eland ligt er kapotgereden bij. Louise is onaangenaam getroffen, pakt haar mobieltje en begint een nummer in te toetsen.

8

Henrik Rehnström, Louises man en wethouder voor de sociaal-democraten, zit op het gemeentehuis in een rumoerige begrotingsvergadering. Hij ziet er goed uit en is, net als zijn vrouw, opvallend jong. Hij gooit een stapel papieren op tafel en kijkt om zich heen.

'Nee. Dit kan zo niet.'

Aan zijn stem is te horen dat hij geen tegenspraak duldt. Een van zijn medewerkers, een oudere man die er erg moe uitziet, spreidt gelaten zijn armen uit.

'Hoe moet het dan wel?'

'Foute vraag. Ik kan het met mensen eens zijn dat je in bepaalde situaties zelfmoord kunt, of misschien zelfs zou móéten plegen. Maar dat hoeft toch niet altijd op de ergst denkbare manier te gebeuren?'

'Er zijn geen alternatieven.'

'Vandaag de dag betekent politiek: alternatieven vinden die er niet zijn. Dit moet opnieuw. Helemaal.'

'Hoe?'

'Hoe moet ik dat verdomme weten?! Dat is jouw werk. Dat is jullie werk. Daar worden jullie voor betaald. We kunnen dit zo niet presenteren. Dit is geen bezuiniging. Dit is pure politieke zelfmoord.'

Een vrouw komt de kamer binnen en geeft Henrik een seintje dat er telefoon voor hem is.

'Dan hebben we heel nieuwe richtlijnen nodig', zucht de vermoeide medewerker. 'Waar moeten we op bezuinigen?'

Terwijl hij de kamer uit loopt verkondigt Henrik autoritair: 'Een gemeentebegroting maken is tegenwoordig zoiets als toveren. Uit een hoge hoed halen we geld dat er niet is. Ziekenhuisbedden en schoollunches verdwijnen in onze mouw zonder dat iemand er erg in heeft. Zijn we het er dus over eens? Het moet over. Van begin tot eind.'

Buiten op de gang neemt hij het telefoontje aan. Al lopend begint hij te praten terwijl hij ondertussen zijn stropdas afdoet en koffie haalt.

'Waar zit je ergens?'

'Dat weet ik niet precies. Ik ben onderweg naar huis. Vanaf de kust.'

'Dat was ik vergeten. Wat was er ook alweer? Hadden ze een lijk gevonden? Moeten officieren van justitie op pad om dat soort dingen te zien?'

'Niet noodzakelijkerwijs, maar daar had ik zin in.'

'Wat was er dan?'

'Dat weten we nog niet. Niet echt iets wat op een misdrijf wijst.'

'Dan zal het wel iemand zijn die is verdronken…'

'Maar ik ben nu onderweg naar huis. Ik doe de boodschappen wel.'

Henrik vloekt inwendig. Louise heeft wel door waarom hij zwijgt ook al kan ze hem niet zien.

'Je bent het toch niet vergeten?'

'Natuurlijk ben ik het niet vergeten. Het is alleen… Het lukt niet. We moeten het een andere avond doen.'

'Waarom? We hadden het toch afgesproken? We eten 's avonds nooit meer samen.'

'De plannen zijn hier omgegooid. Het wordt vanavond laat. Er is een commissievergadering.'

'Welke commissie?'

'Dat weet ik even niet meer.'

Louise, die naar het elandenkadaver op de weg staat te kijken, is teleurgesteld en boos, maar ze zegt niets. Er hangt een stilte tussen hen.

'Hallo? Ben je er nog?' vraagt Henrik voorzichtig.

'Ik ben er nog.'

'Het spijt me dat het zo loopt.'

'Dat zal wel.'

'Hè verdomme, Louise…'

'We doen het wel een andere avond. Iets anders zit er niet op.'

'Wat wil je dan dat ik doe? Ik ben wethouder.'

'Ik had gedacht dat we elandenbiefstuk zouden eten.'

'Eland?'

'Dag.'

'Rij niet te hard.'

'Dat doe ik nooit.'

'Dat doe je altijd.'

Het gesprek is afgelopen. Louise keert terug naar haar auto en wacht tot de eland is afgevoerd.

9

Louise komt met boodschappentassen een winkel uit en werpt een blik op het medisch centrum dat ernaast ligt. Ze zet de tassen in de auto en rijdt naar huis. Het is donker en koud. De stad is niet erg groot. Ze rijdt langs een benzinepomp en een winkelcentrum en slaat dan af naar een wijk met vrijstaande huizen. Ze parkeert voor de garage van een huis dat in de jaren zeventig is gebouwd.

Wanneer ze met de tassen naar de voordeur loopt, kijkt ze berustend naar een hoop rotzooi die in de tuin ligt. Ze draait de deur van het slot, schopt haar laarzen uit en loopt door naar de keuken. De tassen zet ze op tafel. Een hond springt tegen haar op; het is een labrador. Afwezig aait ze hem, onderwijl luisterend. Haar aandacht wordt door iets getrokken en ze loopt de woonkamer in.

'Mama…'

Er komt geen antwoord en ze blijft zoeken en roepen. Ten slotte loopt ze de trap op. Ze treft haar moeder in de badkamer aan. Ze zit volledig aangekleed in de badkuip en kijkt verward. Louise kan zich niet beheersen en schreeuwt het uit.

'Waar ben je godverdomme mee bezig?'

Maar dan speelt haar geweten op en ze helpt haar moeder overeind. Ze brengt haar naar de slaapkamer. Haar moeder gaat op bed liggen. Ze is erg in de war, maar wanneer Louise haar liefkozend op de arm klopt, komt ze langzaam bij haar positieven.

'Het is goed… Je wilde nu toch niet in bad gaan?'

Haar moeder lijkt opeens weer helder.

'Waar was ik eigenlijk?'

'In de badkuip.'

'Ik kan me helemaal niet herinneren dat ik daarnaartoe ben gegaan.'

Plotseling kijkt ze verschrikt; ze heeft in de gaten wat er met haar aan de hand is. Louise probeert haar te troosten.

'Het is niet erg, mama. Het is niet erg...'

10

Bezorgd en geïrriteerd keert Louise terug naar de keuken.

Ze pakt een deel van de boodschappen uit. De hond springt rond en ze aait hem verstrooid, maar duwt hem daarna geërgerd weg. Er valt iets op de grond. Woedend maait ze de rest van de boodschappen van tafel.

11

Het is avond. Louise, gekleed in een trainingspak, is bezig de tuin op te ruimen. In het wilde weg, rusteloos. Af en toe werpt ze een blik op het raam van de kamer van haar moeder.

12

Het is na twaalven 's nachts. Henrik komt thuis en wordt door de hond verwelkomd. Hij luistert of hij iets hoort en werpt een blik in de keuken. Een gedeelte van de boodschappen zit nog in tassen, een ander gedeelte ligt op de grond. Hij loopt de woonkamer in, waar Louise op de bank onder een deken ligt te slapen. Een stapel papier is naast haar op de grond gegleden. Henrik pakt voorzichtig een vel op en leest: 'Bengt Ingemarsson?' Louise wordt met een schok wakker en hij laat het papier ongemerkt op de grond vallen.

'Ik ben zeker in slaap gevallen. Hoe laat is het?'

'Bijna één uur.'

Hij gaat naast haar zitten en zij grijpt hem begerig beet. Het lukt Henrik niet helemaal om haar gretigheid te beantwoorden.

'Slaapt ze?'

'Toen ik thuiskwam zat ze in de badkuip. Met haar kleren aan.'

'Jezus zeg…'

'Volgens mij kan het zo niet langer.'

'Dat zeg ik toch de hele tijd al.'

'Maar het is mijn moeder. Niet de jouwe', zegt Louise snibbig en vermoeid.

Ze begint haar papieren bij elkaar te rapen.

'Wat is er zo belangrijk dat je het mee naar huis neemt?'

'Die schedel die ze hebben gevonden. Die kan van Bengt Ingemarsson zijn.'

'Dachten ze dat? Dat hij het is?'

'Politiemensen "denken" niet zoveel, maar zijn naam is genoemd. Ik wilde mijn geheugen alleen maar even opfrissen.'

'Hij zit vast onder een andere naam in de zon een mooi leven te leiden. Met geld van de gemeente.'

'Dat zei Tornman ook al.'

Louise heeft haar paperassen verzameld. Ze kijkt Henrik aan, die glimlachend opstaat.

'Ik laat de hond wel even uit. Ik kom zo.'

Louise verdwijnt naar de bovenverdieping. De hond komt met zijn riem in de bek aanlopen.

13

Op het Openbaar Ministerie zitten de volgende ochtend een paar mensen in een kamer te wachten. Louise komt groetend binnen en kijkt rond.

'Is Love er niet?'

'Hij is aan de telefoon', antwoordt een collega.

'Dan ga ik eerst nog even naar mijn eigen kamer.'

Louise verlaat snel de kamer. Ze loopt door een saaie, kleurloze gang. Wanneer ze op haar kantoor is, draait ze de deur op slot.

Ze doet een van de ladeblokken van haar bureau van het slot, aarzelt even, maar haalt dan een flesje wodka tevoorschijn en drinkt een paar slokken. Ze neemt een paar keelpastilles, pakt papieren van haar bureau en sluit het ladeblok weer af. Daarna loopt ze terug naar de vergaderruimte. Daar is Love Egnell, Louises baas, inmiddels gearriveerd. Hij is een jaar of vijfenveertig, heeft kortgeknipt haar, een bril en een moeilijk te duiden glimlach rond de lippen. Wanneer iedereen is gaan zitten neemt Louise het woord.

'Hebben we al iets van de politie gehoord?'

'Waarover?' vraagt Love.

'De man op het eilandje.'

'Dat klinkt als de titel van een roman… *De man op het eilandje*', zegt een van de andere officieren.

'Een slechte roman', onderbreekt Love. 'Het kost tijd om botresten te onderzoeken. Was er überhaupt iets wat erop wees dat er sprake is van een misdrijf?'

'Nee', antwoordt Louise.

'Dan zal het wel zelfmoord zijn. Of iemand die is verdronken. Het kan iemand zijn die vanuit Finland of Estland hiernaartoe is gedreven. En die op die rots is aangespoeld. Misschien wel uit de Estonia. Alles is mogelijk. Laten we hopen dat het geen zaak voor ons is. Wij hebben genoeg te doen.'

Love wijst veelbetekenend naar een stapel dossiers. Hij pakt het bovenste en balanceert dat op zijn hand.

'Hier hebben we bijvoorbeeld een leuke zaak rond een jongeman genaamd Roger Färnström. Geboren 3 februari 1976. Voor de derde keer zware mishandeling.'

'Vierde', onderbreekt Louise hem.

'Derde! Plus wederrechtelijke bedreiging. Hij heeft een portier bij een discotheek met een voorhamer bedreigd. Het zal niet lang meer duren voordat die man zijn eerste moord pleegt.'

Hij geeft de map aan Louise.

'Hij is van jou. Helemaal van jou.'

'Wie was Bengt Ingemarsson eigenlijk?' vraagt Louise, die het dossier negeert.

'Bengt Ingemarsson was een verwaande gast die hiernaartoe kwam en ons gouden bergen beloofde. Maar het draaide voornamelijk op een lege vlakte uit.'

'Ik weet dat het vóór mijn tijd was. En dat hij nooit is veroordeeld.'

'Nee, die krijgen we nooit te pakken.'

'Wat gebeurt er als zou blijken dat die schedel van hem is?'

'Dat is een goeie vraag! Laten we aannemen dat die kop werkelijk van Bengt Ingemarsson is. Is hij dan verdronken of heeft hij zelfmoord gepleegd? Weinig kans dat we daarachter komen; dan weten we alleen dat hij dood is en blijft er niets anders over dan hem te begraven. Maar Roger Färnström kunnen we misschien wel te pakken krijgen, als we beter ons best doen.'

Ze staan op. Het overleg is afgelopen. Louise ergert zich aan wat zij als arrogantie van Love beschouwt.

14

Louise is naar haar kamer teruggekeerd. Ze kijkt naar de lade van haar bureau, maar laat die voor wat hij is. Afwezig bladert ze door het dossier waarmee Love haar heeft opgezadeld. Ze blijft even hangen bij een foto van Roger Färnström. Vervolgens legt ze de map weg, pakt de telefoon en belt naar huis. Er wordt opgenomen door haar nichtje Emma, die haar af en toe helpt door voor haar moeder te zorgen.

'Is alles in orde?'

'Ze zit te breien. Alles is rustig.'

'Ik kom zo snel mogelijk naar huis.'

'Tot ziens.'

Louise legt de hoorn erop en probeert zich te concentreren op de inhoud van het dossier dat ze voor zich heeft. Dat lukt haar niet, dus smijt ze het op haar bureau, pakt haar jas en verlaat de kamer.

15

Louise is gestopt bij een verzorgingstehuis en loopt naar de ingang met een sigaret in haar hand. Ze rookt alsof ze zich bij iedere trek schuldig voelt, gooit dan haar half opgerookte sigaret weg en gaat naar binnen.

Het is een keurig huis vol vreselijke ongezelligheid. Oude mensen, de meeste afwezig, met niets omhanden, andere kwiek. Een oude man komt achter een rollator aansloffen, zijn ene schoenveter hangt los. Louise blijft staan, buigt zich voorover om de veter te strikken en loopt dan verder de gang in. Opeens ziet ze een vrouw in een stoel zitten die erg op haar moeder lijkt. De vrouw huilt zachtjes, roerloos. Dit boezemt Louise angst in, ze draait zich snel om en maakt zich uit de voeten.

16

Terwijl Louise het verzorgingstehuis bezoekt, is Lundström bezig met de bruine schedel. Om hem heen op de afdeling Pathologie wordt gewerkt. Lijken op roestvrijstalen tafels. Lundström neuriet terwijl hij aan het gebit peutert.

Louise stapt een dameskapsalon binnen waarvan haar zus Kristina de eigenaresse is. De zussen lijken helemaal niet op elkaar. Louise heeft haar haren geverfd en is zwaar opgemaakt, haar zus is erg bleek. Kristina is net klaar met een klant die een nieuw kapsel heeft. De zussen werpen elkaar veelbetekenende blikken toe wanneer de klant, een vrouw van middelbare leeftijd met overgewicht, naar buiten waggelt met blauwgroen haar. Ze barsten in lachen uit.

'Ze wilde het zelf. Je moet mij niet de schuld geven', giechelt Kristina.

'Dat is toch geen gezicht...'

'Iemand verschijnt op tv met een nieuw kapsel. De volgende dag heb ik ze hier voor de deur staan. Wanneer we iemand op tv zien zeg ik altijd tegen Roland: Nu wil elke vrouw zo'n kapsel. En dat is dan ook zo.'

'Wat hadden wíj ook alweer? Een Farah Diba-kapsel?'

'God nee!'

'Jíj anders wel, hoor.'

'Volgens mij was ik amper geboren toen dat in de mode was.'

Ze gaan zitten. Kristina bladert in tijdschriften met klassieke kapsels en vindt de look van de vroege jaren zeventig. Ze zitten als kleine kinderen te giechelen en te wijzen.

'Weet jij wat ik eigenlijk had willen hebben?' zegt Louise.

'Nee?'

'Gemillimeterd haar.'

'Gemillimeterd haar?'

'Ik was mijn haar destijds al net zo beu als nu.'

'Dan knippen we het toch.'

Louise gaat in een stoel zitten. Ze kijken elkaar in de spiegel aan en Kristina begint Louises haar te kammen.

'Je begint grijs te worden en je bent nog niet eens vijfendertig.'

'Ik probeer er niet aan te denken.'

'En ik heb geen tijd om er aan te denken. Wat is het ergste? Proberen het niet te doen of er geen tijd voor hebben?'

'Ik weet het niet.'

Even is het stil. Kristina kamt Louises haren.

'Het gaat zo niet langer met mama', zegt Louise.

'Wat bedoel je?'

'Toen ik gisteren thuiskwam, zat ze helemaal aangekleed in de badkuip. En ze wist niet waar ze was of hoe ze daar terecht was gekomen. Ik weet niet eens zeker of ze mij wel herkende.'

'Emma zegt dat ze over het algemeen helder overkomt.'

'Als je aangekleed in een badkuip gaat zitten ben je niet helder. Wat gebeurt er allemaal wanneer Emma niet bij haar kan zijn?'

'Dan moet ik haar maar bij me in huis nemen.'

'Je weet dat dat niet kan.'

Hun blikken kruisen elkaar weer in de spiegel. Ze zijn allebei terneergeslagen.

'Het is zo akelig', vervolgt Louise. 'Volgens mij herkende ze me niet. Het duurde maar een paar tellen, maar toch. Ik bestond niet. Ze had me nooit eerder gezien.'

'Het probleem is dat we te lang blijven leven. Vroeger gingen de mensen op tijd dood, maar nu niet meer. Als je tenminste niet verongelukt...'

Louise verandert plotseling en impulsief van gespreksonder-werp.

'Doe mijn haar helemaal anders!'

'Hoe dan?'

'Dat ik mezelf niet herken.'

'Net als mama.'

'Herken jij jezelf altijd?'

'Nou kan ik je niet volgen. Je bent gewoon wie je bent.'

'Je kunt me niet mooier maken. Maar je kunt me wel anders maken.'

'De mensen kunnen haast niet begrijpen dat wij zussen zijn.'

'Ik lijk op papa, en die is dood. Jij lijkt op mama. En die is ook dood. Al leeft ze nog.'

'Ik heb het niet over uiterlijke overeenkomsten. Ik bedoel dat we zo verschillend denken.'

18

Louise verlaat de kapsalon. Kristina kijkt haar door het raam na. Louise stapt in haar auto en rijdt door de stad. In het achteruitkijkspiegeltje bekijkt ze haar nieuwe kapsel. Ze is tevreden.

Wanneer ze het gemeentehuis passeert, ziet ze Henrik opeens in gezelschap van een vrouw en een man naar buiten komen. Hij lijkt vooral belangstelling te hebben voor de vrouw. Louise wordt meteen jaloers en achterdochtig, en ze remt af. Ze kijkt hen na. Pas wanneer ze uit haar blikveld zijn verdwenen, rijdt ze verder. Ze stopt bij het medisch centrum.

19

Louise zit in de wachtkamer. Rusteloos bladert ze in een tijdschrift totdat ze bij een vrouwelijke arts wordt geroepen die achter een bureau zit.

'Ook ditmaal was de uitslag negatief.'

'Wat kunnen we dan nog doen?'

'Het zou het beste zijn als ik een gesprek met u en uw man samen zou kunnen hebben.'

Louise knikt. Eerst aarzelend, dan resoluut.

'Laten we maar meteen een afspraak maken.'

's Avonds zijn enkele ramen van het Openbaar Ministerie verlicht.

Louise zit op haar kamer te werken. Er hangt een dikke rookwalm. Haar bureau ligt vol paperassen. Ze werkt met een soort geconcentreerde koortsachtigheid. Opeens staat Love in de deuropening. Louise schrikt op en gooit per ongeluk een koffiemok op de grond.

'Je laat me schrikken. Ik dacht dat ik hier alleen was.'

'Dat was je ook. Maar toen ik zag dat er licht brandde ben ik gestopt. Magdalena gaat twee avonden in de week naar dansles.'

'Magdalena?'

'Zo heet mijn dochter, weet je nog?'

'Dat was ik vergeten.'

'Hoe lang werk je hier nu? Ruim een jaar?'

'Dertien maanden.'

'De familie Mattsson is hier altijd al geweest. Iedereen is in de stad blijven wonen. Behalve jij, jij gaat weg om te studeren, maar keert terug. En trouwt met wethouder Henrik Rehnström, met wie je op je dertiende al stond te flikflooien. Je solliciteert naar de functie van officier van justitie. En krijgt die baan ook.'

'Wat wil je daarmee zeggen?' vraagt Louise afwachtend.

'Niets. Maar ik vraag me natuurlijk wel af waarom je in oude paperassen bent gaan bladeren.'

Love pakt een ordner van haar bureau.

'"Bengt Ingemarsson". Een van al die onderzoeken die op niets zijn uitgelopen... Wil je weten wie hij was?'

'Het zou me tijd besparen als jij het me vertelde.'

'Wil je eerlijke antwoorden?'

'Als dat niet te veel gevraagd is.'

'Bengt Ingemarsson was een psychopaat. Hij was gek. Altijd glimlachend, altijd goedgekleed. En gul. Hij beloofde deze gemeente weer een toekomst, nadat alles verloren leek toen de papierfabriek dichtging. Iedereen trapte erin. En op een dag was hij gewoon vertrokken, met de centen. Geld van de overheid. Geld van particulieren. Geld van de gemeente. Al het mogelijke geld.'

'Maar waar hield hij zich nou eigenlijk mee bezig?'

'Je kunt beter vragen waar hij zich niét mee bezighield. Transacties. Zwendel. Lege BV's. Handel in bosgrond in strijd met elk bestaand wetsartikel op dat terrein. Hij hield zich verdomme overal mee bezig.'

'En toch konden jullie hem niet pakken?'

'Dat is ons niet gelukt. Toen hem de grond te heet onder de voeten werd, is hij verdwenen. Daarom moet je luisteren naar wat ik zeg. Of althans luisteren naar je eigen verstand. Het kan niet anders of je verstand zegt je dat het onderzoek naar Bengt Ingemarssons zakelijke transacties dood en begraven is. Of dat hoofd nu van hem is of niet. Je kunt niet naar de rechter stappen met een doodshoofd. Je kunt een dode man niet veroordeeld krijgen.'

'Maar als dat doodshoofd nou van hem is? Zou jij niet willen dat we konden zeggen: "Zo is het afgelopen. Zo is het gegaan toen Bengt Ingemarsson stierf"?'

Love staat op uit zijn stoel.

'Het interesseert mij meer dat Roger Färnström veroordeeld wordt. Hij heeft nu voldoende mishandelingen gepleegd. Met een knuppel. Tot kijk.'

Love werpt een vluchtige blik op Louises benen en gaat weg. Zij heeft zich alweer over haar papieren gebogen. Wanneer ze alleen in de kamer is, gooit ze haar pen en bril neer en trekt de lade open. Ze haalt echter geen fles tevoorschijn, maar een foto die jaren geleden genomen is. Van haarzelf, Kristina en hun ouders. Ze staan voor een eenvoudig zomerhuisje waarvan de bouw bijna gereed is. Haar vader domineert het beeld. Een hamer in zijn hand, ontbloot bovenlichaam. Het is zomer, en warm.

Diezelfde avond is er een vergadering van de bouwcommissie. Henrik zit het overleg voor.

'Dat was het?'

Hij kijkt het kringetje rond. Iedereen maakt een vermoeide indruk, niemand vertrekt een spier en hij sluit de vergadering door met een heel chique pen op de tafel te tikken. Iedereen pakt zijn spullen bij elkaar. Geschraap van stoelpoten. Een man van in de zestig genaamd Antonsson loopt naar Henrik toe.

'Kan ik even een paar woorden met je wisselen? Heb je tijd?' vraagt hij voorzichtig.

'Dat heb ik toch altijd?'

'Het duurt maar een paar minuten.'

Ze lopen weg.

'Eén ding is in elk geval zeker', zegt Henrik. 'Dat alle verordeningen met betrekking tot bouwvergunningen en algemene bouwvoorschriften opnieuw moeten worden opgesteld.'

'Dat doet de EU voor ons.'

'Je kunt er vergif op innemen dat ze dat niet doen. Wat wou je vragen?'

'Ik heb iets opgevangen.'

'Maar dat klopt niet. Ik ga niet met je vrouw naar bed.'

Antonsson is heel even van zijn à propos. Dan beseft hij dat Henrik natuurlijk een grapje maakt.

'Ik had bijna gezegd dat ik dat zelf ook niet doe. Maar het gaat over iets anders. Bengt Ingemarsson.'

'Wat is er met hem?'

'Er gaan geruchten dat ze hem misschien hebben gevonden. Dood op een eilandje.'

'O?'

'Een ongebruikelijke plaats om te sterven.'

'Ik kan hier in de gang in elkaar zakken en ter plekke overlijden.

Dan lijkt een rots in zee me leuker.'

'Maar als hij het inderdaad is? Wat gebeurt er dan? Denk je dat ze al die oude koeien dan weer uit de sloot gaan halen?'

Henrik blijft abrupt staan.

'Hoe lang kennen wij elkaar nu al? Vijftien jaar? Langer? Korter?'

'Waarschijnlijk langer.'

'Maar je weet nog steeds niet dat ik er een ontzettende hekel aan heb wanneer mensen geen duidelijke taal spreken. Je moet een spade een spade noemen en geen bezem. De politie en misschien ook mijn vrouw zijn bezig met dat overlijdensgeval. Niet "ze". Niet "men". Niet "iemand".'

'Ik vroeg me gewoon af of het klopt. Het zou ongelukkig zijn als die zaak weer wordt opgerakeld. Oude wonden worden opengereten.'

Henrik pakt zijn portemonnee. Hij haalt er Louises visitekaartje uit en geeft dat aan Antonsson.

'Ik stel voor dat je je tot deze persoon wendt als je problemen hebt met Bengt Ingemarsson.'

Henrik loopt weg.

22

Louise is bezig haar papieren te verzamelen en werpt een laatste blik op enkele foto's. Ze stopt bij een foto van Bengt Ingemarsson, de glimlachende man, en begint de foto te bestuderen. Ze pakt een vergrootglas en bekijkt een paar gezichten op de achtergrond. Een van die gezichten doet denken aan de man die ze eerder die dag in gezelschap van Henrik buiten bij het gemeentehuis zag. Ze vervalt in gepeins, maar bergt haar spullen op, pakt haar jas, doet het licht uit en loopt naar buiten. In de gang schrikt ze opeens van een geluid. Ze blijft even staan luisteren, maar loopt dan schouderophalend weg.

Louise is thuisgekomen en hangt haar jas weg. Emma zit met een koptelefoon op naar de cd-speler te luisteren. De hond springt op.

'Bedankt dat je zo lang bent gebleven.'

'Hier heb je tenminste rust. Thuis zitten we elkaar de hele tijd op de lip.'

Louise ziet dat Emma met een hand door haar haren gaat en zich gereedmaakt om te vertrekken. Louise loopt naar de spiegel om haar eigen kapsel te bekijken. Daarna loopt ze de trap op naar de slaapkamer van haar moeder. Die slaapt; ze ademt rustig. Louise gaat weer naar beneden, zet de muziek waar Emma naar zat te luisteren harder en begint te bladeren in de map met papieren over Roger Färnström. Dan gaat de voordeur open. Ze staat op en loopt naar Henrik toe, die er moe uitziet.

'Hoi. Slaapt ze?'

'Ja. Emma is net weg.'

Henrik gooit zijn aktetas neer. Die vliegt open en er vallen papieren en een agenda uit. Henrik verdwijnt naar de keuken en roept: 'Heb je honger?' Louise antwoordt: 'Nee.' Ze bladert snel zijn agenda door. Er staat niets in over een commissievergadering die avond en ze wordt acuut jaloers.

Henrik komt terug met een bord broodjes. Hij schenkt een whisky in en kijkt haar vragend aan, maar zij schudt haar hoofd, ze heeft geen trek. Hij staart naar haar kapsel.

'Wat vind je ervan?' vraagt ze een beetje benauwd.

'Goed.'

'Is dat alles? "Goed"?'

'Al zou je kaal zijn, dan was je nog mooi. God, wat een dag…'

'Is er iets gebeurd?'

'Was dat het maar. Maar er gebeurt nooit iets onverwachts! Het is alsmaar vergaderen en bezoek en weer vergaderen, dag in, dag uit.'

'Wat voor mensen komen er eigenlijk naar je toe?'

'Iedereen. En iedereen klaagt. Of wil meer geld. Bovendien heb ik een invalkracht als secretaresse en die haalt dingen door elkaar.'

'Vandaag droeg ze een rood mantelpakje.'

'Is dat zo? Ja, dat zou best kunnen kloppen. Hoe weet je dat?'

'Ik zag jullie toen ik langsreed.'

'We gingen lunchen.'

'Hoe heet ze?'

'Elin.'

Henrik staat op en loopt naar de keuken om nog wat eten te halen. Louise loopt achter hem aan.

'Elin? Heet ze zo?'

'Je bent toch niet weer jaloers, hè?'

'Heb ik daar reden voor?'

'In godsnaam. Hou op.'

'Ik mag het toch wel vragen?'

'Laten we hier nou mee ophouden. Hoe gaat het?'

'Met wat?'

'De man op het eilandje.'

'We weten niet wie het is. We weten niets. De pathologen moeten hun zegje doen, en de politie. Daarna zien we wel.'

'Er schijnen al geruchten rond te gaan dat het Bengt Inge- marsson is.'

'Die schijn jij goed gekend te hebben, is het niet?'

'Dat is te veel gezegd. Ik zat nog maar in de oppositie toen hij hier huishield. Ik had vanaf het begin mijn bedenkingen tegen hem, maar niemand wilde luisteren. In de jaren tachtig luisterde er nooit iemand. Maar jij kunt geen dode veroordeeld krijgen. Voor het geval hij het is.'

'Dat was precies wat Love ook zei: Wat heeft het voor zin een dode man te laten veroordelen?'

'Ik weet het niet.'

'Jij bent politicus. Jij zou het moeten weten.'

'Wat weten?'

'Een verschil uitmaken kost tijd.'

'Wat voor verschil wil jij bereiken?'

'Laten zien dat het lukt om een fraudeur veroordeeld te krijgen. Of hij nou dood is of niet. Een ommekeer teweegbrengen in het feit dat fraudeurs altijd ontkomen. Dat de wetten zijn geschreven en aangepast voor hen. Niet voor de mensen die nog steeds proberen fatsoenlijk te zijn. Vooropgesteld dat we de verdenking hebben dat er een misdrijf is gepleegd, zouden we het vooronderzoek kunnen heropenen.'

'Dit had ik zelf in een verkiezingstoespraak kunnen zeggen. Maar waarom Bengt Ingemarsson? Er zijn wel ergere. Of die waren er.'

'Je moet ergens beginnen. Of niet soms?'

Het gesprek bloedt dood en ze keren terug naar de woonkamer. Na een poosje zet Henrik het bord weg.

'Moest jij vandaag niet naar de dokter?'

'Ik ben niet zwanger', zegt Louise kortaf.

'Waarom doe je zo agressief?'

'Ze vond dat we met z'n drieën een afspraak moesten maken. Ik heb een tijd afgesproken. Op de negende, om één uur.'

'Wat heb ik daar te zoeken? Ik mankeer toch niks?'

'Hoe weet je dat? Heb je andere kinderen?'

'Zoiets weet je toch verdomme gewoon…'

Niettemin pakt Henrik zijn agenda en hij knikt.

'Ik heb dan een vergadering, maar die zeg ik wel af. Om één uur?'

Hij schrijft het op. Louise voelt weer jaloezie.

'Noteer je al je vergaderingen?'

'Anders zou ik ze vergeten. Ik heb soms helemaal geen idee van tijd meer. Ik word er zo vreemd moe van.'

'Je werkt te hard.'

Beiden doen er het zwijgen toe en verzinken in hun eigen gedachten. Dan kruipt Louise op de bank en ze boort haar gezicht stevig in Henriks oksel.

'Ik heb je vandaag op een foto gezien. Samen met een man met heel kortgeknipt haar en een bril.'

'Dat zal Mats Hansson wel zijn geweest. En zoals je al weet, had ik daar vandaag een afspraak mee.'

'Wie is hij?'

'Een zakenman. Ondernemer. Een harde werker. Hij heeft goeie ideeën.'

'Net als Bengt Ingemarsson?'

'Dit is een fatsoenlijke vent. Waarom vraag je dat?'

'Zomaar.'

Ze blijven zwijgend zitten. Louise slaat haar arm om hem heen, maar Henrik loopt niet echt warm.

'Ik ga naar bed. Ik ben ontzettend moe. Kom je ook?'

Ze lopen samen de trap op naar de slaapkamer.

24

Henrik slaapt, maar Louise ligt wakker. Opeens meent ze iets te horen en ze stapt uit bed. De deur van haar moeders slaapkamer staat open. Louise snelt de trap af. Haar moeder zit in een stoel in de woonkamer.

'Hoe is het met de kinderen?'

Louise treuzelt met haar antwoord, omdat ze beseft dat haar moeder helemaal in de war is.

'Met hen is het goed.'

'Waarom komen ze nooit eens langs?'

Louise krijgt tranen in haar ogen.

'Je kunt nu maar beter naar bed gaan. Het is midden in de nacht...'

Ze lopen samen de trap op en Louise pakt haar moeder zo

stevig bij de arm dat deze een kreet slaakt. Daarna blijft ze een poosje op de rand van haar moeders bed zitten. Haar blik valt op een ingelijste foto die opblinkt in het licht van de straat. Een andere familiefoto, genomen toen Kristina en zij tieners waren.

Wanneer haar moeder in slaap is gevallen gaat Louise weer naar de woonkamer. De hond duikt op in de duisternis. Louise loopt naar de drankkast en schenkt voorzichtig een klein beetje wodka in, ervoor zorgend dat de fles niet tegen het glas slaat. Ze gaat met haar glas op de bank zitten.

Zonder dat zij het merkt komt Henrik de trap af. Hij neemt haar op, maar maakt zijn aanwezigheid niet kenbaar.

25

De volgende dag loopt Louise door de gangen van het politie-bureau. Ze stapt een kleine vergaderkamer binnen, waar Tornman al wacht. Ze knikken, begroeten elkaar en gaan zitten. Tornman bekijkt tersluiks haar kapsel. Er komt nog een politie-man binnen.

'Is hij geïdentificeerd?' vraagt Louise.

'Dat kost tijd.'

'Ik neem aan dat jullie van zijn gebit uitgaan?'

Tornman knikt.

'En de doodsoorzaak?'

'Vroeger had je daar op die rotseilandjes zeehonden. De laatste keer dat die werden gesignaleerd, was in de jaren zestig. Daarna werden ze door gifstoffen uitgeschakeld.'

'Die schedel was niet van een zeehond.'

'Vroeger werden zeehonden doodgeknuppeld.'

'Wat heeft dat er nou mee te maken? Ik heb geen tijd. Ik moet zo dadelijk op de rechtbank zijn.'

'Er is niets wat op uiterlijk geweld wijst. Dus het zal heel moeilijk worden om de doodsoorzaak vast te stellen.'

'Maar hoe is hij daar gekomen? Wij hebben een boot nodig om er te komen. Dus waar is zijn boot dan gebleven?'

'We zullen duikers inzetten. Maar er ligt geen wrak naast het eilandje.'

'Dat kunnen jullie toch niet weten als er nog geen duikers zijn geweest?'

'Er bestaan geavanceerde echoloden.'

'Ik dacht dat je die bij het vissen gebruikte?'

'We hebben ook oude aangiftes doorgenomen over gestolen boten. De kustwacht helpt daarbij.'

'Ik neem aan dat jullie vermiste personen doornemen?'

'Daar zijn centrale registers van. We zijn ermee bezig. Je krijgt bericht zodra we wat weten. Maar vind je echt dat we hier prioriteit aan moeten geven?'

'Ja', antwoordt ze kortaf.

Ze staat op en loopt weg. Tornman heeft zo zijn vraagtekens en is misschien ook een tikje nerveus.

26

Later die ochtend rijdt Louise over een bosweg. De weg voert naar een klein, afgelegen huis met een rokende schoorsteen. Een paar kapotte ramen zijn dichtgespijkerd met hardboardplaten. Ze stapt uit haar auto. Het klinkt alsof er om haar heen tere klokjes klingelen en ze glimlacht. In verschillende bomen hangen bijzondere windgongen. Van allerlei kanten wordt ze door achterdochtige poezen bekeken. Ze loopt naar de deur en klopt aan. Edvin Molander, een oudere man, doet open. Wanneer hij Louise ziet, begint hij te stralen.

'Ik was aan het dromen...'

'Over mij?'

'Over een meteoor, die in het bosmeertje hierachter insloeg.'

'En dat was ik?'

'Dat was jij.'

Louise loopt achter hem aan naar binnen. Het huis is armoedig, vervallen en muf, maar er hangen kaarten aan de muren en er staan boeken in de kasten. Schilderijen, een enkel beeldhouwwerk. Vooral veel foto's. En poezen. Louise trekt haar neus op vanwege de lucht, maar ze volgt Edvin naar de keuken. Ze gaan aan de tafel zitten waaraan Edvin zijn eigenzinnige windgongen fabriceert. Hij pakt er een op.

'Luister hier eens naar!'

Hij beweegt hem zachtjes als in een onzichtbare wind. Het geluid is mooi.

'Wat vind je ervan?'

'Het klinkt als... Ik weet niet...'

'Het klinkt als een mooie jonge vrouw die zich bij een donker bosmeertje uitkleedt en dan naakt het koude water in duikt.'

'Dat hoorde ik er geloof ik niet in...'

'Je moet met je innerlijke oren en je fantasie luisteren. En met je geilheid...'

De sfeer is vriendelijk en vertrouwelijk.

'Hoe gaat het met je?'

'Oud worden is klote', antwoordt Edvin monter. 'Niks anders. Gewoon klote.'

'Jij kunt je in elk geval goed zelf redden. Mama herkent mij of Kristina niet meer. Ze denkt dat ik haar moeder ben. En die is al vijftig jaar dood.'

'Het enige wat onze moderne tijd heeft gebracht, is dat mensen te lang blijven leven. Kijk maar naar mij. Ik had al lang dood moeten zijn.'

Het blijft een poosje stil. Edvin frunnikt wat aan zijn windgongen.

'Op een van de rotseilandjes aan de scherenkust is een hoofd gevonden', zegt Louise dan.

'Een lijk?'

'Een schedel.'

'Denk je dat die van hem is?'

'Van wie? Van papa?'

'Nee, die is immers ergens in het bos gestorven. Er is iemand anders die iedereen kent en die hier is verdwenen. Bengt Ingemarsson. De grote weldoener. Maar als hij dood op een eiland ligt, dan heeft iemand hem vermoord.'

'Waarom denk je dat? Er is niets wat daarop wijst. Nog niet, in elk geval.'

'Zou hij zelfmoord hebben gepleegd?'

'Wat denk jij?'

'Ja, wat denk ik? Ik weet het niet. Het was natuurlijk een man zonder remmingen. Die ongeremdheid heeft hij uiteindelijk misschien tegen zichzelf gericht.'

'Iedereen heeft het over hem.'

'Toen hij op z'n hevigst huishield woonde jij hier niet. Twee jaar lang was hij met zijn praktijken bezig. Daarna is hij verdwenen, met achterlating van rokende puinhopen. Dat werd allemaal onder het tapijt geveegd, verzwegen.'

'Maar wat deed hij nou eigenlijk?'

Edvin kijkt haar aan. Hij staat op en zet een muts op.

'Zullen we naar buiten gaan?'

Ze lopen in het bos. Een groepje poezen volgt hen. Overal in de bomen hangen windgongen. Opeens blijft Edvin staan.

'Dit bos was van hem. Dit was een van de eerste dingen die hij kocht. Hij kwam uit het niets en kocht bos. Op krediet.'

'Wanneer was dat?'

'Zeven jaar geleden. Hij wilde zich hier vestigen. Op die voorwaarde mocht je destijds bos kopen. En hij zou een verpakkingsindustrie opzetten. Hij was net een bowlingbal. Ze vielen allemaal als kegels om hem heen om. Ik ook.'

'Hoe was hij eigenlijk als mens?'

'Zoals ik net zeg. Een bowlingbal. Zonder remmingen.'

Ze zijn bij een bosmeertje aangekomen. Edvin wijst naar de bosrand aan de overkant.

'Zijn grondgebieden strekten zich uit tot die scheidslijn daar. Ik weet nog dat we hier kwamen, toen ik net mijn handtekening had gezet. Hij begon te lachen. "Nu is dit van mij", zei hij. En toen begon hij weer te lachen.'

'Maar hoe kwam het dan dat hij zijn gang kon gaan? Ik heb de papieren bekeken. Nepcontracten, oplichting, belastingontduiking, valsheid in geschrifte, valse voorwendselen. Van alles. En toch kregen ze hem niet veroordeeld.'

'Hij kwam op het juiste moment. In de tijd van de ongeremde bowlingballen.'

Edvin begint zich opeens uit te kleden.

'Wat doe je?'

'Ik krijg plotseling zo'n zin om te gaan zwemmen. Als je preuts bent, moet je je maar omdraaien.'

'Maar het water is toch ijskoud?'

'Dat hoop ik wel.'

Edvin kleedt zich helemaal uit. Louise wendt zich af. Ze draait zich weer om wanneer ze gespetter hoort. Edvin spartelt als een kind in het water. Dan komt hij weer op de kant. Hij heeft het nu koud en Louise geeft hem haar jas. Ze lopen terug naar het huis. De windgongen klingelen.

'Je wordt nog ziek.'

'Ik ben nooit ziek. Op een goeie dag ga ik gewoon dood. Punt. Wat zei je net? Hadden jullie Ingemarssons kop gevonden? Lachte hij?'

'Wat gebeurde er destijds nou eigenlijk?'

'Dat moet je maar aan je man vragen. Die is politicus. Ik ben maar een oude schoolmeester en dorpsfotograaf die te lang leeft.'

Ze blijven staan bij een bijzonder mooi spelende windgong, luisteren zwijgend en lopen dan verder.

'Op een ochtend werd je wakker. Zweden was veranderd. En

Bengt Ingemarsson stond in de deuropening en wilde zaken-doen.'

'Wat wilde hij eigenlijk bereiken?'

'Hij wilde rijk worden. Hij was van eenvoudige komaf. Zijn vader werkte in een textielfabriek in Norrköping, Weverij De Haan. Het was waarschijnlijk behoorlijk arm bij hem thuis. Hij wilde wraak nemen op al die eenvoud. Hij zag wat er in het land gaande was en greep zijn kans.'

'Ik heb tot nu toe nog niemand een vriendelijk woord over hem horen zeggen.'

'Je had ze moeten horen toen hij hier kwam met al zijn ideeën. En al zijn geld dat er in feite niet was. Toen was iedereen dol op hem.'

Ze lopen zwijgend verder.

'Denk je vaak aan je vader?'

'Elke dag.'

'Ik weet dat je gewoon bij me langskomt, maar ik heb ook het gevoel dat je iets verzwijgt.'

'Als ik jouw dochter was en jij begon zo oud te worden dat je niet meer voor jezelf kon zorgen, wat zou je dan doen?'

'Ik hoop dat ik dan moedig genoeg ben om hier het bos in te lopen en mezelf dood te schieten.'

Bij zijn huis gaan ze uiteen. Hij zwaait haar na wanneer ze in haar rode auto verdwijnt.

27

Louise loopt over het kerkhof. Ze blijft bij haar vaders grafsteen staan en gaat harken. 'Karl-Olov Mattsson, geboren 1931-'. Een jaartal voor zijn dood ontbreekt. Eronder staat de naam van Louises moeder, met het geboortejaar 1933 en ook een lege ruimte.

Dominee Yvonne Nordgren komt de deur van de sacristie uit

vergezeld door haar zuster Lena, die journaliste is. Ze ziet Louise bij het graf.

'Dat is officier van justitie Louise Rehnström. Daar is het graf van haar vader. Maar dat is leeg.'

'Waarom?'

'Er viel niets te begraven. Haar vader is een aantal jaren geleden het bos in gegaan maar niet teruggekeerd. Ze hebben hem nooit gevonden.'

28

Louise is op haar kantoor, bladert door een stapeltje briefjes over telefoontjes die zijn binnengekomen en ondertekent enkele papieren. Dan buigt ze zich over haar troosteloze dossier met de mishandelingzaak. Algauw gaat ze echter over tot het bestuderen van de foto van de vorige avond en ze neemt een besluit. Ze pakt het telefoonboek en zoekt een nummer op.

'Goedendag. U spreekt met officier van justitie Rehnström. Ik ben op zoek naar Mats Hansson… O. Maar u weet misschien waar hij wel is? Dank u wel.'

Ze legt de hoorn neer en staat op.

29

Louise rijdt de stad uit en slaat af bij een golfclub. Het is gaan regenen. Wanneer ze naar de ingang van het clubhuis loopt, ziet ze de man die ze moet hebben. Hij staat een paar emmers met ballen af te slaan. Ze komt naderbij. Hij ziet haar wel, maar reageert niet en blijft doorgaan met slaan.

'Mats Hansson?'

'Wie wil dat weten?'

'Ik denk dat u mijn man kent. Henrik Rehnström. Ik ben

Louise Rehnström, officier van justitie.'

'Henrik golft niet. U wel?'

'Ik heb het geprobeerd, maar ik denk dat ik er te ongeduldig voor ben.'

'Het kan een goede manier zijn om je gedachten op een rijtje te zetten.'

'Ik zou u een vraag willen stellen. Ik probeer me een beeld te vormen van Bengt Ingemarsson. En ik meen dat u hem hebt gekend. Kende u hem goed?'

'Dat deed niemand. Bovendien is hij dood.'

'Hoe weet u dat?'

'De Bengt Ingemarsson die ik kende, is in elk geval dood.'

'Hoe was hij eigenlijk?'

'Een fantastisch mens.'

'Is dat alles?'

'Is dat niet voldoende? Er lopen al genoeg mensen rond die slechte dingen over hem zeggen.'

Louise overweegt hoe ze verder zal gaan.

'Het kan zijn dat we hem hebben gevonden.'

Dit ontlokt Hansson een reactie, maar slechts een kleine.

'Wat bedoelt u daarmee? Je vindt iemand of je vindt hem niet. Toch?'

'We hebben een schedel gevonden.'

'Een skelet?'

'Nee, alleen een schedel. Op een rotseilandje in zee.'

'Is die van hem?'

'Dat weten we niet. Nog niet.'

'Wat wilde u nog meer vragen?'

Louise vuurt een salvo aan vragen af.

'Was hij vaak op zee? Had hij een boot? Hebt u hem nog ontmoet vlak voordat hij verdween? Wanneer hebt u hem voor het laatst gezien?'

'Ik wist heel weinig over zijn privé-leven. Toen hij verdween, zat ik in het buitenland. Dat hij weg was hoorde ik pas later.'

'Hoe reageerde u toen?'

'Eerst was ik ongerust. En later verdrietig. Dat ben ik nog steeds.'

Mats Hansson blijft zijn golfballen slaan. Louise beseft dat haar hele bezoek aan de golfbaan een overhaaste en verkeerde beslissing is geweest. Geïrriteerd keert ze terug naar haar auto.

30

Louise is direct doorgereden naar het gemeentehuis en praat bij de receptie met een vrouw achter een ruit.

'Weet u waar Henrik ergens is?'

'Welke Henrik? Er werken hier meer mensen die Henrik heten.'

'Mijn man. Henrik Rehnström. De wethouder.'

'Pardon. Ik had u niet herkend. Hebt u een ander kapsel?'

'Is hij er?'

'Ze zijn met de begroting bezig en mogen niet gestoord worden. Maar ik zal een briefje naar binnen laten brengen dat u hier bent.'

'Nee. Laat maar. Zo belangrijk is het niet.'

Louise blijft even staan en weet niet goed wat ze moet doen.

31

Edvin Molander zit in zijn keuken in oude mappen te bladeren. Er zitten krantenknipsels over Bengt Ingemarsson bij. REDDER VAN DE STREEK. GROTE INVESTERING IN VERPAKKINGSINDUSTRIE. En een groot aantal foto's van de eeuwig glimlachende man.

Louise is naar de supermarkt gereden om boodschappen te doen en is bezig spullen in haar winkelkarretje te laden. Opeens komt er een vrouw op haar af die haar een flinke oorvijg geeft. Iedereen in de winkel blijft staan.

'Nu hij dood is kun je hem toch wel met rust laten. Hij heeft niets onwettigs gedaan. Hij is nooit veroordeeld. Laat hem met rust!'

De vrouw draait zich abrupt om en loopt weg. Louise is geschokt en merkt de nieuwsgierige, afwachtende gezichten van de mensen om haar heen nauwelijks op.

Louise is teruggekeerd naar het Openbaar Ministerie. Een medewerkster is haar kamer binnengekomen. Louise besluit een vraag te stellen.

'Jij werkte hier destijds. Je moet het je nog kunnen herinneren. Had Bengt Ingemarsson een vriendin? Was hij getrouwd?'

'Dat weet ik niet.'

'Er is veel onderzoek gedaan. Die vrouw moet toch ergens in te vinden zijn.'

'Dan moeten we in de kelder gaan zoeken. Maar ik stond eigenlijk op het punt om naar huis te gaan.'

'Ik kan zelf wel zoeken. Als je me maar zegt waar het materiaal staat.'

Ze verlaten de kamer en nemen de lift naar het archief in de kelder. Nadat de medewerkster haar heeft gewezen waar ze moet beginnen, gaat Louise zoeken in allerlei ordners. Uiteindelijk vindt ze wat ze zoekt. Een verbleekte foto van Irene Lundin, de vriendin van Bengt Ingemarsson. Het is dezelfde vrouw die haar in de supermarkt een klap gaf.

Louise keert terug naar haar kamer. Ze doet de deur dicht en pakt een van haar wodkaflesjes, die ze in één teug leegdrinkt. Ze raakt er meteen een beetje aangeschoten van. In een opwelling duwt ze nijdig een van de ordners weg. Daarna leegt ze nog een flesje en leunt met gesloten ogen achterover in haar stoel. Zo blijft ze tot laat in de avond zitten, zich steeds verder bedrinkend. Ze slaat op goed geluk een ordner open en leest in het wilde weg. Dan smijt ze alle papieren op de vloer. Ze ziet een potplant die er droog uitziet. In plaats van hem water te geven gooit ze hem in de prullenbak.

Een nachtportier komt door de gang naderbij. Hij neemt een kijkje in Louises kamer. Zij zit op handen en knieën op de grond haar papieren bij elkaar te rapen. De flessen zijn weg.
'Is alles in orde?'
'Alles is in orde.'
Onzeker loopt de nachtportier weg.

34

Heel laat in de nacht verlaat Louise haar kamer. De lege flesjes heeft ze in de prullenbak gegooid. Buiten op straat is het koud. Ze kijkt naar haar auto, maar besluit te gaan lopen. Opeens blijft ze staan en kijkt om, alsof er iemand is die haar volgt. De straat is echter leeg. Louise blijft staan voor een etalage van een winkel die in kinderkleding is gespecialiseerd. Ze kijkt een poosje en loopt dan door, af en toe wankelend. Dan blijft ze opeens weer staan en draait zich nog een keer om. De straat is nog steeds verlaten.

Wanneer ze thuiskomt, doet ze de deur voorzichtig van het slot en begint zo zachtjes mogelijk haar jas en schoenen uit te trekken. Ze struikelt echter en beseft dat ze Henrik wakker maakt. Ze gooit haar spullen aan de kant en haast zich naar de woonkamer, waar ze gaat zitten voordat hij beneden is.

Henrik komt de trap af in zijn ochtendjas. Louise zit op de bank.

'Hoi', zegt ze zo rustig mogelijk.

'Hoi.'

'Ik wilde je niet wakker maken.'

'Heb je gedronken?'

'Ik heb gewerkt.'

'Je hebt gedronken.'

'Nee.'

'Godverdomme!'

'Ik heb gewerkt.'

'Laat me je adem ruiken!'

Louise blaast van drie meter afstand in zijn richting.

'Je bent dronken.'

'Nee.'

'Je hebt weer gedronken.'

'Ja.'

'Waarom?'

'Waarom niet?'

'Dat is geen antwoord.'

'Een ander antwoord krijg je niet.'

'Ik dacht dat we een afspraak hadden.'

'Ik doe mijn werk. Ik doe ons huishouden. Of niet soms?'

'Maar je mag niet drinken!'

'Als je begint te schreeuwen ga ik naar bed.'

'Ik zal niet schreeuwen. Maar je kunt niet tegen drank. Je weet wat er dan gebeurt.'

'O ja?'

'Je kunt niet tegen drank. Je bent net als je vader...'

'Laat mijn vader erbuiten!'

'Wie schreeuwt er hier nou? Hij dronk. En jij drinkt. Wou je dat soms ontkennen?'

'Ik schreeuw niet en ik ben niet dronken. En nu ga ik naar bed.'

Ze staat op.

'Ga zitten!'

'Ik ga naar bed.'

'Ga zitten!'

Henrik praat nu met stemverheffing en Louise gaat weer zitten. Maar Henrik weet opeens niets meer te zeggen.

'Ik vlieg morgenochtend naar Stockholm. Ik kom woensdag weer thuis.'

'O.'

'De Zweedse Vereniging van Gemeenten heeft een gesprek met het ministerie van Financiën.'

Louise begint opeens te giechelen.

'Wat is er?' vraagt hij.

'Het klinkt alsof je monopoly speelt. Je pakt een kaartje. "De Zweedse Vereniging van Gemeenten heeft een gesprek met Financiën." Maar moet je daarna naar de gevangenis? Of mag je nog een keer gooien?'

'Waarschijnlijk moet je twee beurten overslaan.'

De idiote wending in het gesprek doet de lucht tussen hen een beetje opklaren. Louise spreekt opeens de waarheid. Zonder omhaal.

'Ik had een gevoel alsof ik overkookte…'

Ze begint te huilen.

'Het komt allemaal wel in orde', zegt Henrik. 'Als je maar niet drinkt, want dat lost sowieso niets op. Louise, schat…'

Louise maakt zich nu heel klein. Opeens schrikt ze op en onvast loopt ze naar de wc om over te geven. Henrik blijft zitten, onaangenaam getroffen.

Na een poosje komt ze de wc uit wankelen. Ze valt op de bank neer en trekt een deken over zich heen. Henrik gaat naast haar liggen. Het is drie uur in de ochtend.

35

Na een onrustige slaap van enkele uren wordt Louise met een schok wakker. Een gedachte heeft haar gewekt en ze vliegt van de bank op. Henrik is in de slaapkamer gaan slapen. Ze haast zich naar de badkamer, kamt snel haar haren, poetst haar tanden, doet oogdruppels in om de roodheid van haar ogen te verminderen en slikt een paar tabletten tegen de hoofdpijn. Dan legt ze een briefje voor Henrik neer. 'Veel plezier in Stockholm.' Bij de voordeur verschijnt een mevrouw van de thuiszorg.

'Vannacht heeft ze rustig geslapen', zegt Louise.

'Dat is mooi.'

Louise verdwijnt in de vroege dageraad. Ondertussen komt Henrik de trap af.

'Is ze al weg?'

'Ze is net vertrokken.'

Wanneer Louise haar kantoor binnenstapt, loopt er een schoonmaakster met haar wagentje over de gang. Louise stort zich op de prullenbak, maar tot haar opluchting liggen de wodkaflesjes daar nog in. Ze zet ze in haar bureaulade en draait die op slot.

36

In de vroege ochtendschemer zit Edvin Molander nog steeds in zijn huis in zijn mappen te lezen en door zijn foto's te bladeren. De krantenkoppen zijn nu anders. INGEMARSSONS ZWENDEL. GEMEENTE GESCHOKT. MILJOENEN VERLOREN.

Henrik nuttigt in de keuken een snel ontbijt, klaar om op reis te gaan, vol energie. Hij leest Louises briefje en schrijft er met zijn mooie pen een reactie op. 'Ik bel je. Ik zit in Hotel Reisen.' Op straat stopt een taxi.

Louises assistente komt de kamer in.

'Heb je gisteren gevonden wat je zocht?'

'Ja. Ik heb het gevonden.'

'Je vergeet niet dat je vandaag naar de rechtbank moet?'

Louise wijst naar een stapel akten, die op haar bureau ligt. Ze is het niet vergeten.

De assistente gaat de kamer uit en botst in de deuropening tegen Love op, die naar binnen wil.

'Ik had net Tornman aan de telefoon. Over die schedel.'

'Weten ze wie het is?'

'Raad maar.'

'Het is niet waar...'

'Bengt Ingemarsson. Ze konden hem identificeren aan de hand van zijn gebit, door middel van de patiëntenkaart van zijn tandarts.'

'Zeker weten?'

'Als je mijn persoonlijke mening wilt weten, dan is het mooi dat die klootzak dood is.'

Hij loopt weg zonder haar reactie af te wachten.

Louise is bij Tornman op het politiebureau en leest enkele papieren door.

'Tanden liegen niet', zegt Tornman.

'Wat is er gebeurd?'

'De pathologen hebben nog veel te doen. Dit gaat tijd kosten.'

'Hoe oud was Ingemarsson toen hij verdween?'

'Tweeënveertig.'

'Heb je verder niets? Kan er iets worden uitgesloten?'

'Nee, nog niet.'

'Zelfmoord? Is er iets wat op een misdrijf wijst?'

'Dat hij zou zijn vermoord?'

'Ja. Moord of doodslag.'

'Nee.'

'Is er iets wat daartegen pleit?'

'Nee. We moeten nu met het onderzoek beginnen.'

'Waar is het skelet? En vergeet de boot niet. Iemand moet hem daarheen hebben gebracht en hem daar hebben achtergelaten.'

'Misschien.'

'Hoe zou het anders zijn gegaan?'

'Hij kan toch zelf een boot hebben gehad.'

'Maar die moet dan toch ergens gebleven zijn?'

'De zee is groot.'

Louise staat op. Ze aarzelt even. Tornman kijkt haar aan.

'Was er verder nog iets?'

'Toen ik boodschappen aan het doen was, werd ik aangevallen. Door de vriendin van Ingemarsson, Irene Lundin. Ze heeft me een klap gegeven. Maar dat wist je misschien al?'

'Hoe zou ik dat moeten weten?'

'Geruchten gaan snel.'

'Wil je aangifte tegen haar doen?'

'Nee, wat zou dat voor zin hebben?'

Dan gaat ze weg.

39

Louise haast zich de rechtszaal in en knikt naar de advocaat van de verdachte. Dat is een jonge, enigszins gehavende man. Louise wendt zich tot haar assistente.

'Sorry dat ik laat ben. Waar kunnen we op rekenen?'

'Het wordt voorwaardelijk. Maar dat is de laatste keer. De

volgende keer dat hij iemand mishandelt, gaat hij achter de tralies.'

Louise ordent snel haar papieren en concentreert zich. De zitting begint.

Vanuit de rechtbank rijdt Louise rechtstreeks naar huis. Ze schenkt een glas whisky in en bekijkt lange tijd een foto die in de woonkamer aan de muur hangt. Vader, moeder, Louise en Kristina. Een lachend gezin.

's Avonds eet ze samen met haar moeder. Moeder houdt Louise voortdurend in de gaten. Ditmaal is ze volkomen helder. Haar verwarring is een proces van komen en gaan.

40

Louise wordt met een schok wakker. Ze weet niet waarom, maar ze pakt haar ochtendjas, loopt de slaapkamer uit en luistert aan de gesloten deur van haar moeders kamer. Daarna loopt ze de trap af naar de woonkamer. Opeens ziet ze dat de terrasdeur openstaat en ze voelt hoe koude lucht rond haar benen trekt. Ze tuurt de duisternis in. Niets. Ze rent de trap weer op en opent de deur van haar moeders slaapkamer. Het bed is leeg. Ze reageert bliksemsnel, rent naar beneden, trekt een paar laarzen aan en snelt in haar ochtendjas de tuin in. De straat ligt er verlaten bij.

'Mama… Mama…'

Ze loopt op een drafje langs de straat. Het huis ligt vlak bij een bosgebied. Het regent en het is koud. Opeens vindt ze vlak bij de bosrand een schoen. De schoen van haar moeder.

Louise staart in de duisternis, naar het bos. Kou en regen. Dan roept ze opnieuw, nu helemaal in paniek: 'Mama… Mama…'

Ze krijgt echter geen antwoord.

II

Zoekactie

Er is een zoekactie gaande. Politieagenten, brandweerlieden, flikkerende lichten. Louise en Kristina zijn erbij, maar ook Kristina's
man Roland. De nacht is duister en nat. De mensen die in een rij
het terrein uitkammen, zijn als vage schimmen zichtbaar. Af en
toe begint een walkietalkie te knetteren.

Diep in het bos dwingt Louise zichzelf ertoe om door te lopen. Ze
trapt in een modderpoel, aangeschoten, agressief, schuldbewust.
Kristina en Roland bevinden zich vlak achter haar en helpen haar
overeind. Haar ene laars blijft in de modder steken. Wanneer ze
bukt om die te pakken, valt ze omver en haar kleren worden nat en
vies. Kristina bekijkt haar met een blik vol afkeer.
     'Je kunt niet op je benen staan! Louise…'
     'Laat me, verdomme. Ik hou het wel vol…'
     'Je staat gewoon helemaal te trillen van de kou!'
     'Dit is mijn schuld.'
     'Je moet jezelf niet altijd overal de schuld van geven.'
     De spanning tussen de zussen is groot. Louise giet het water uit
haar laars, trekt hem weer aan en loopt door, met geforceerde
energie, dieper het bos in, waar de flikkerende zoeklichten te zien
zijn. Kristina en Roland volgen haar op een afstandje. Kristina is
van streek.
     'Wat heeft ze?'
     'Ze is gewoon dronken', antwoordt Roland gelaten.

Edvin verschijnt bij het geïmproviseerde hoofdkwartier van de
zoekactie. Hij kijkt onzeker om zich heen en wendt zich dan tot
een agent.
     'Is de dochter hier ook?'
     'Welke van de twee? De kapster of de officier van justitie?'

'Liefst allebei. Ik ben de broer van de vrouw die verdwenen is, van Viola Mattsson.'

'Ze zijn daar ergens. Het is wel een rotterrein om in te verdwalen.'

Edvin loopt het bos in. Het begint nu een klein beetje licht te worden. Het zoeken gaat voort. Louise komt eraan, met schrammen op haar lichaam en doornat. Kristina en Roland zijn er niet bij. Opeens is er een soort signaal te horen. Een oproep. Louise luistert. Dan kijkt ze van een afstand naar een van de mannen in de rij die het bos uitkamt. Hij luistert naar een walkietalkie. Struikelend loopt ze op hem af.

'Wat is er?'

'Het ziet ernaar uit dat ze haar hebben gevonden.'

'Hoe is het met haar?'

'Dat hebben ze niet gezegd, maar ze hebben haar bij de oude pulpfabriek gevonden.'

De man wijst en Louise strompelt weg.

Viola ligt op de vochtige vloer van een half afgebroken fabrieksgebouw, waarin bomen en struiken het grootste gedeelte van de ruimte alweer hebben opgeëist. Louise komt hijgend aangerend. Kristina en Roland zijn er ook al, evenals ambulancepersoneel. Viola wordt in dekens gewikkeld en op een brancard gelegd. Een ambulancemedewerker beoordeelt haar situatie.

'Ze is enorm onderkoeld.'

Louise is zo moe dat ze opeens niet meer kan. Ze laat zich op een plateau zakken waarop ooit een machine heeft gestaan. Op hetzelfde moment krijgt ze Edvin in het oog. Dan begint ze te huilen en ze pakt hem beet. Kristina en Roland lopen mee met de brancard, die weggedragen wordt. Het is nu geleidelijk licht geworden. Eerst is er nog veel geruis van walkietalkies, maar het wordt steeds stiller. Ten slotte blijven alleen Edvin en Louise achter.

'Het is mijn schuld', snikt Louise.

'Natuurlijk is het niet jouw schuld.'

Edvin probeert haar te troosten, maar hij weet niet hoe hij dat moet aanpakken.

De brancard is nu bij de wachtende ambulance. Kristina stapt in terwijl Roland naar hun eigen auto loopt. Geleidelijk vindt de ontknoping van het geheel plaats. De ambulance verdwijnt met hoge snelheid, met blauw zwaailicht, maar zonder sirene.

Edvin en Louise zijn nog in de oude pulpfabriek. Louise gaat op zijn jas zitten. Edvin kijkt rond in het half afgebroken gebouw.

'Weet je waar we hier ergens zijn?'

'Was dit niet ooit een steenfabriek?' antwoordt Louise afwezig.

'Dat is verder weg. Maar dit hier?'

'Ik weet het niet. Doet het ertoe?'

'Dit is wat er over is van Bengt Ingemarssons imperium. Van wat de streek een schitterende toekomst moest bezorgen. Een van al die projecten waar nooit iets van terechtgekomen is.'

Louise kijkt rond, maar passief, afwezig, omdat ze zo moe en ongerust is. Edvin slaat een arm om haar schouders.

'Zullen we gaan?'

Louise geeft geen antwoord. Uiterst moeizaam staat ze op.

42

Louise haast zich door een ziekenhuisgang. Edvin houdt zich een beetje op de achtergrond. Kristina en Roland staan te wachten. Er hangt een landerige, vermoeide sfeer. Louise is bang voor het bericht dat haar wacht.

'Hoe is het met haar?'

'Ze redt het wel.'

'Godzijdank... Is ze bij kennis?'

'Nee.'

Louise laat zich op een stoel zakken. Kristina neemt haar op en wendt zich dan tot Roland.

'Ga jij maar naar huis. De kinderen moeten opstaan en naar school. Ik blijf hier.'

Roland knikt en vertrekt. Kristina gaat naar een toiletruimte. Ze komt met een natte handdoek terug en begint Louises gezicht schoon te maken. Die ondergaat dat gewillig. Edvin slaat het tafereel gade. Kristina probeert de sfeer wat te verlichten door zich tot hem te wenden.

'Moet je geen foto nemen? Ik dacht dat jij de fotograaf was die er altijd bij was wanneer er iets gebeurde? Althans, iets ongewoons.'

'Daar ben ik lang geleden al mee opgehouden.'

'Zo lang geleden is dat toch niet? Waarom moeten ouwe kerels hun leeftijd altijd overdrijven?'

Ze krijgt geen reactie. Er komt namelijk een jonge arts uit de onderzoekskamer.

'Mevrouw Mattsson lijkt er goed van af te zijn gekomen. Voorzover we kunnen zien geen letsel. Maar omdat ze zo onderkoeld is geraakt, houden we haar een paar dagen hier ter observatie.'

'Mijn moeder is in de war. Aderverkalking. Dit kan opnieuw gebeuren.'

Louise vindt de directe manier waarop Kristina hun moeder beschrijft niet prettig, maar ze zegt niets. De dokter knikt en loopt weg. In de gang hangt een oorverdovende stilte. Louise pakt Kristina's hand.

'Sorry…'

'Hoezo?'

'Dat ik niet beter op haar gelet heb.'

Kristina beseft dat het zinloos is hierop te reageren.

Een paar uur later hebben ze het ziekenhuis verlaten en zijn ze naar Louises huis gereden. Louise verdwijnt naar de bovenverdieping om zich om te kleden. Kristina zet koffie en ziet dat het antwoordapparaat knippert. Ze luistert het af. Het is Henrik, die beduusd klinkt.

'Waar zit je toch? Het is nog niet eens zeven uur en je bent al weg. Tot horens. Dag.'

Kristina kijkt in de woonkamer rond. Ze is openlijk aan het snuffelen en taxeren. Ze pakt een snuisterij op en ziet het overblijfsel van een prijsplakkertje; ze schrikt van het hoge bedrag. Dan bekijkt ze een van Edvins windgongen. Ze raakt hem aan. Het geluid is mooi. Louise komt de trap af, nog even vermoeid als daarvoor, maar opgefrist en met droge kleren aan. Ze drinken koffie in de keuken.

'Dit gaat zo niet langer', zegt Kristina.

'We hebben het er later wel over. Nu niet.'

'Waarom nu niet? Voordat het opnieuw gebeurt? Waarom moet je de dingen altijd voor je uit schuiven?'

'Als er iemand is die dingen voor zich uit schuift, dan ben jij het wel! Niet ik!'

Deze uitbarsting komt als het toppunt van een vermoeiende nacht. Kristina reageert woedend; ze staat op, pakt haar jas en vertrekt. De deur slaat dicht. Louise smijt haar koffiekopje tegen de muur.

'Godverdomme...'

Ze loopt naar de drankkast en schenkt een glaasje wodka in. Dan ziet ze opeens dat het antwoordapparaat knippert en ze beluistert Henriks bericht. Ze kijkt op haar horloge en heeft ineens haast.

'Ik moet naar de rechtbank...'

Ze laat haar glas onaangeroerd staan.

44

Louise komt bij de rechtbank aanrennen met haar aktetas en de papieren, die ze bijna laat vallen. Ze stormt de stoep op.

De leden van de rechtbank hebben hun plaatsen ingenomen. Het is stil en er wordt gewacht. De rechter werpt een blik op zijn horloge.

Louise probeert haar jas uit te trekken terwijl ze zich naar de rechtszaal haast. Ze laat een heleboel papieren vallen.
  'Shit...'

De verdachte is een keurige jongeman. Zijn raadsheer is een oudere man die een vragende blik naar de rechter werpt.
  De deur vliegt open. Vele blikken wenden zich naar Louise.
  'Mijn excuses dat ik te laat ben.'
  'Ik heb gehoord wat er vannacht met uw moeder is gebeurd, mevrouw Rehnström. Ik denk dat we uw oponthoud allemaal volkomen begrijpen.'
  De verdachte is het daar echter niet mee eens.
  'Ik vind het anders klote dat ik zo behandeld word.'
  Even heerst er verbazing in de rechtszaal. De advocaat van de verdachte zucht en waarschuwt zijn cliënt discreet. De rechter werpt hem een boze blik toe, maar zegt niets. Louise is eerst verbouwereerd, dan nijdig. Ze ordent haar papieren, neemt een strijdbare houding aan en is klaar om te beginnen.

Later die dag. Louise is bezig met haar slotpleidooi. Ze spreekt met kracht en overtuiging. Ze heeft een opvallende autoriteit.
  'Er kan dus geen enkele twijfel over bestaan dat de heer Stenberg schuldig is. Dat hij blijft volharden in zijn weigering het hem ten laste gelegde toe te geven, wordt volledig gecompenseerd door

het bewijs. Ik wil bovendien onderstrepen dat de heer Stenberg zich al eerder aan diverse drugsmisdrijven heeft schuldig gemaakt, waarvan er minstens twee door de rechtbank als zwaar zijn aangemerkt. Het OM vraagt daarom om veroordeling. Dat was het. Dank u wel.'

De rechter knikt. Louise is duidelijk en bondig geweest.

'Dan is nu het woord aan de verdediging. Meester Eriksson, gaat uw gang.'

Meester Eriksson begint te spreken. De verdachte luistert met een verbeten trek op zijn gezicht. Louise gaat zitten, bladert in haar papieren. Een bode overhandigt haar een briefje. Ze leest het en kijkt opgelucht.

45

Ondertussen stapt Henrik in Stockholm bij het ministerie van Financiën uit een auto. Hij verdwijnt door de zware deuren.

In een grote vergaderkamer gaat hij aan een tafel zitten tussen andere wethouders die hiernaartoe gekomen zijn, en ambtenaren van het departement. Hij is in een goed humeur. Er heerst een enigszins rumoerige stemming.

Er gaat een telefoon en iemand neemt op.

'Henrik Rehnström? Is die hier aanwezig?'

'Die is hier.'

'Er is telefoon voor u.'

'De gemeente is zeker failliet...'

Hij pakt de hoorn.

'Ja, met Henrik...'

De sfeer blijft rumoerig. Henrik luistert met een steeds ernstiger wordend gezicht. Dan legt hij neer. Inmiddels beseft iedereen aan tafel dat er iets is gebeurd.

'Mijn schoonmoeder... Ze is vannacht in het bos verdwaald, maar het ziet ernaar uit dat het goed is afgelopen.'

46

Buiten de rechtszaal. De zitting is beëindigd. Louise heeft aan de advocaat van de verdachte gevraagd of ze zijn mobieltje even mag lenen om Henrik te bellen. Ze geeft het toestel terug.

'Dank je wel.'

'Wat een geluk dat het goed is afgelopen. Met je moeder, bedoel ik.'

Louise probeert een meer afstandelijke, professionele houding aan te nemen.

'Die Stenberg is geen leuke vent.'

'Nee, misschien niet... Maar ja, ook hij moet verdedigd worden.'

47

Louise gaat de kamer van haar moeder in het ziekenhuis binnen.

'Kristina?' vraagt haar moeder aarzelend.

'Ik ben het, Louise...'

'Ik ben wakker geworden omdat ik het koud had.'

'Nu ben je weer warm...'

'Ik begrijp niet waar ik ben...'

'Over een paar dagen mag je weer naar huis.'

Opeens pakt Viola Louise stevig bij de pols.

'Ben ik mijn verstand aan het verliezen...? Is dat het?'

Louise kijkt naar de grond; ze is niet in staat te antwoorden.

48

Mats Hansson rijdt over een bosweg. Het is dezelfde weg waarop hij twee jaar geleden een aantal paspoorten aan Bengt Ingemarsson overhandigde. Hij stopt, stapt uit en pakt een paar dennen-appels, waarmee hij begint te spelen. Hij kijkt om zich heen en gaat dan controleren wat er is overgebleven van de auto die destijds werd opgeblazen: niet meer dan een roestig karkas.

49

Louise is op haar kantoor teruggekeerd. De deur gaat open en Love komt binnen. Bijna routinematig werpt hij een blik op haar benen.

'Stoor ik?'

'Nee.'

Hij overhandigt haar een zakje.

'Broodjes. Ik neem aan dat je geen tijd hebt gehad om te eten?'

Louise knikt en neemt het zakje dankbaar aan.

'Hoe gaat het met je moeder?'

'Goed. Maar ik weet niet hoe het verder moet. Zo oud worden en je verstand verliezen. Dat is mijn grote angst.'

Louise ziet Loves gezicht opeens vertrekken. Alsof er iets gebeurt.

'Voel je je niet lekker?'

'Ach, het is mijn maagzweer.'

'Kwam het door iets wat ik zei, dat die weer begint op te spelen?'

'Nee. Maar het wordt er ook niet beter op als je hoort wat je nog voor de boeg hebt... Hoe ging het met Stenberg?'

'Wie?'

'Je had vandaag toch een zitting?'

'Hij wordt veroordeeld.'

'Jij wint dus.'

'Waarschijnlijk wel... Er is iets wat ik me afvraag. Waarom werd Bengt Ingemarsson eigenlijk nooit veroordeeld? Terwijl zijn misdrijven zo onmiskenbaar waren?'

'Hij was handig. Hij wist dat je de wet moet kennen om te zien waar de mazen zitten. En die vond hij. Hij was wetteloos binnen de kaders van de wet.'

'Dat begrijp ik niet.'

'Ons hele rechtssysteem is gebaseerd op de gedachte dat mensen in wezen fatsoenlijk zijn. Fraudeurs maken daar gebruik van. Ze volgen alle regels, alle wetten, tot een bepaald punt. Dan gaan ze over op een ander spoor. En dat is de moeilijkheid: het vinden van dat punt waarop ze niet langer fatsoenlijk willen blijven.'

'Als iemand duidelijk een misdrijf begaat maar toch niet veroordeeld wordt, dan moet er iets schorten aan de wetgeving. Dan moet die worden veranderd.'

'Dat hoeft niet zo te zijn. Misschien is er sprake van slecht politieonderzoek. Wat weten agenten van het opzetten van bv's? Of wij hebben onvoldoende tijd. De wetten hoeven niet ondeugdelijk te zijn. Ik vind trouwens dat je naar huis zou moeten gaan om te slapen. Je moet hier niet blijven zitten… Verdomme, wat heb ik een pijn!'

'Ik ga naar huis als jij naar de dokter gaat.'

Ze buigt zich weer over haar papieren. Love haalt zijn schouders op, neemt het zakje mee en gaat weg, zijn gezicht tot een grimas vertrekkend. In de deuropening draait hij zich om.

'Jij krijgt Stenberg veroordeeld. Vergeet dat niet.'

50

Tornman loopt door een gang in het politiebureau, maar wordt door een collega staande gehouden.

'Je moet de patholoog in Lund bellen. Het is nogal belangrijk.'

Op het forensisch instituut in Lund hangt een röntgenfoto van een schedel op een lichtkast.

Tornman luistert. Hij zegt niets. Dan legt hij de hoorn neer. Inwendig vloekt hij.

51

Louise zoekt doelbewust het archief door. Ze blijft staan voor een plank die vol staat met ordners met het opschrift BENGT INGE-MARSSON. Op goed geluk pakt ze er een tussenuit en begint te bladeren. Ze blijft een poosje staan lezen. Dan neemt ze een besluit.

Louise heeft alle ordners over Ingemarsson naar haar kantoor gebracht. Ze vormen een hoge stapel. Ze kijkt op de klok en krijgt haast.

52

Kristina is net bezig haar kapsalon te sluiten. De laatste klant loopt naar buiten. In de deuropening komt ze Louise tegen.

'Het spijt me dat ik boos geworden ben', zegt Louise op verzoenlijke toon tegen Kristina.

'Zand erover.'

'Ja?'

'Nee. Maar wat heeft het voor zin erover te praten?'

'We moeten een beslissing nemen over hoe we het gaan aanpakken.'

'Soms snap ik niet dat jij, die zoveel moeite hebt om ter zake te komen, officier van justitie hebt kunnen worden. We weten dat er voor haar een plaats is in een verzorgingstehuis. Daar moet ze naartoe. Zo snel mogelijk. Meer valt er niet over te zeggen.'

'Het lijkt net of het jou helemaal niets doet.'

'Jij weet helemaal niet wat ik voel, Louise. En bovendien gaat je dat niets aan.'

Kristina blijft doorgaan met opruimen. Louise weet niet wat ze nog moet zeggen en maakt zich op om weg te gaan. Kristina kijkt haar aan.

'Dus dat is dan afgesproken? Of niet?'

'Het moet maar.'

Louise vertrekt.

53

Louise loopt langzaam door het ziekenhuis naar de kamer van haar moeder, waar ze gaat zitten. Viola slaapt. Na een poosje gaat de deur open. Henrik is er. Louise is bijna overdreven blij hem te zien. Ze lopen de gang op.

'Hoe is het met haar? Hoe is het met jou?'

'Goed. Goed.'

'Je ziet er enorm moe uit.'

'Ja, ik ben kapot.'

Een verpleegster loopt langs en groet.

'Hoe lang moet mevrouw Mattsson nog blijven?' vraagt Henrik.

'Misschien nog een dag of twee.'

'Je denkt altijd dat dit alleen anderen overkomt.'

'Denk liever aan wat er had kunnen gebeuren als u uw zin had gekregen', zegt de verpleegster op scherpe toon.

'Wat bedoelt u daarmee?' vraagt Henrik verbaasd.

'Dat u nog maar een jaar geleden deze kliniek wilde sluiten. En alle patiënten wilde doorverwijzen naar andere ziekenhuizen.'

'Wij kunnen er ook niets aan doen dat we de zorg moeten aanpassen aan onze financiële middelen.'

'Zeg dat maar tegen mevrouw Mattsson. Hoe denkt u dat ze eraantoe zou zijn geweest als ze eerst nog honderd kilometer met de ambulance had moeten worden vervoerd nadat ze was gevonden?'

Henrik is boos, maar ook sprakeloos. Louise weet ook niet wat ze moet zeggen.

54

Ze zitten in de auto en zijn onderweg naar huis. Henrik rijdt.

'Natuurlijk gebeurt zoiets net als ik niet thuis ben.'

'Hoe was Stockholm?'

'We hebben op het ministerie van Financiën zitten praten en geprobeerd duidelijk te maken dat alles naar de klote gaat. De Zweedse gemeenten bestaan tegenwoordig uit een club in het grijs geklede heren met een bedelstaf.'

'Hoe ging het?'

'We hebben het de hele tijd gehad over geld dat er niet is.'

'Gek, hè…?'

'Dat het geld er niet is? Dat is helemaal niet raar.'

'We leefden in een van de rijkste landen van de wereld. En opeens, van de ene dag op de andere, was al het geld weg. Waar is dat gebleven?'

'Een groot gedeelte van dat geld was er gewoon niet. Dat was in feite geleend. Al aan het eind van de jaren zestig wist men wat er ging komen. De verzorgingsstaat was op krediet gebouwd. Toen de leningen verliepen, raakten de politici de controle kwijt. Of het nou de sociaal-democraten of de centrumrechtse partijen waren, dat maakte niet uit. Op dit moment leven we in een land dat over zijn houdbaarheidsdatum heen is.'

'Dit zou je nooit vanaf een spreekgestoelte kunnen verkondigen.'

'Nee. De politiek en de waarheid verdragen elkaar uiterst zelden.'

'Ben je niet bang dat je cynisch wordt?'

'Elke dag, verdomme.'

'Hoe hou je het vol?'

Henrik remt af. Nogal abrupt. De auto komt tot stilstand.

'Ik hoef het tenminste niet koud te hebben. Ik hoef niet bij een wegenbouwproject te staan kijken of de goede stukken rots wel opgeblazen worden. Ik hoef niet in een bouwkeet waar een zweetlucht hangt lauwe koffie te zitten drinken en het over de paardentoto te hebben.'

'Je bént cynisch.'

'Nog niet helemaal. Ondanks alles verzet ik me daartegen. Wanneer zich een redelijke mogelijkheid voordoet.'

Het gesprek bloedt dood. Ze rijden zwijgend verder totdat ze thuis zijn. Ze stappen uit en lopen het tuinpad op. Henrik kijkt afkeurend rond.

'We moeten het hier opruimen voordat het winter wordt.'

Louise stapt demonstratief opzij en pakt wat rommel op. Dan blijven ze allebei staan. Tegen de voordeur staat iets wat eruitziet als een lange houten stok.

'Wat is dat nou?' vraagt Louise.

'Ik weet het niet.'

'Heb jij dat daar neergezet?'

'Ik heb dat ding nog nooit gezien.'

Ze lopen erop af.

'Wat is het? Een knuppel?'

Louise betast het voorzichtig.

'Ik weet het niet…'

Henrik pakt het op en bekijkt het in het licht van de deuropening.

'Het lijkt een oud ding.'

'Ik geloof dat ik zoiets wel eens in een museum heb gezien.'

'Wie heeft dat hier neergezet? En waarom?'

'Is hij voor mij of voor jou bestemd? Of voor ons allebei?'

'Nou, verdomd als ik het weet.'

De hond komt aangesprongen. Louise schrikt.

'Dat arme beest zal wel geen eten hebben gehad', zegt Henrik.

'Wie heeft hem losgelaten?'

'Ik ben vergeten hem binnen te halen.'

'Een geluk dat het geen kind is.'

Louise voelt zich enorm gekrenkt, maar ze zegt niets.

55

Ze zijn binnen. De knuppel ligt op de keukentafel. Henrik heeft zijn bril opgezet om hem te bestuderen. Louise voert de hond. Opeens fleurt Henrik op.

'Edvin is degene die hier een antwoord op kan geven.'

'Iemand moet hem daar hebben neergezet. Hij is vast voor jou. Iemand wil dat ik jou daarmee op je hoofd sla.'

'Waarom?'

'Denk maar aan de woorden van die verpleegster.'

'Gewoon gezeur. Wat weten de mensen er nou van hoe de realiteit eruitziet?'

'Als "de mensen" het al niet weten, wie moet het dan wel weten?'

'Iemand moet de rekening betalen. Er is altijd iemand die de rekening moet betalen.'

Henrik staat op en verlaat de keuken. Louise kijkt naar de hond, die gulzig staat te eten. Even later zet Henrik in de woonkamer muziek op. Hij laat zich in een fauteuil zakken en gaat zitten luisteren. Louise komt op de bank zitten. De verlichting is gedempt.

'Het was Bengt Ingemarsson, daar op dat rotseilandje.'

'Dat weet ik.'

'Hoe kun jij dat nou weten? Jij zat toch in Stockholm?'

'Alle belangrijke berichten bereiken me, waar ik ook ben.'

'En Bengt Ingemarsson is belangrijk?'

Henrik gaat rechtop zitten, onverwacht energiek.

'Ja. Dat is hij. Of beter gezegd: het is belangrijk dat hij wordt vergeten. Dat al die ouwe koeien niet steeds maar weer uit de sloot worden gehaald.'

'Als ik het allemaal goed begrijp, dan komt het onder andere door zijn verwoestende optreden dat de gemeente er financieel zo slecht voor staat.'

'Dat is niet juist. De gemeente heeft zich borg gesteld voor een aantal leningen. Dat was alles.'

'Leningen die verliepen!'

'Dat hebben we op de balans al sluitend gemaakt. Hij kwam, hij heeft ons voor de gek gehouden, hij heeft ons een hoop geld gekost. Maar dat was toen. Je kunt niet vooruitkijken door de hele tijd achteruit te kijken.'

'De mensen vergeten niet zo gemakkelijk als jij denkt.'

'Wat ik bedoel, is dat we er niet aan herinnerd moeten worden. De financiële situatie is verdomd slecht. We moeten ongelooflijk bezuinigen, willen we het ons bijvoorbeeld kunnen veroorloven fatsoenlijk voor jouw moeder te zorgen. Het wordt er allemaal niet beter van dat we nog somberder worden door te kijken naar dingen die in het verleden zijn gebeurd.'

Henrik zakt weer terug in zijn stoel. Zijn energie-uitbarsting is voorbij.

Louise is naar het raam gelopen dat uitkijkt op de tuin. Er zit een haas op het gazon. Door de muziek ontspant ze.

'Mag ik je iets vragen?' zegt ze zachtjes.

'Als het maar niet over mijn secretaresse gaat.'

'Is het nou nodig dat je zo verrekte gemeen bent?'

'Sorry... Het was niet zo bedoeld. Is het nodig dat jij zo jaloers bent? Totaal onnodig? Steeds weer?'

'Sorry...'

'Wat wilde je vragen?'

'Niets...'

'Zeg het nou maar! Krabbel niet terug!'

Louise zet zich opnieuw schrap.

'Hou je van mij?'

'Het is toch duidelijk dat ik dat doe?'

'Laat dat dan zien!'

'Hoe bedoel je?'

'Hoe lang is het geleden dat we hebben gevreeën? Schrijf je dat ook op in je agenda?'

'Soms denk ik dat ik gek word...'

'Wat denk je dan dat ík word? Nou? Wat denk je dat ik word?' zegt ze wanhopig.

Snel rukt ze haar kleren uit. Ze staat halfnaakt voor hem.

'Wat denk je dat ik word?' schreeuwt ze.

Henrik kijkt weg. Er gebeurt niets.

56

Diezelfde avond in een andere woonkamer. Mats Hansson zit peinzend achter zijn bureau. Opeens wordt er aangebeld. Hansson staat op, zet de muziek zachter en gaat opendoen. Er staat iemand voor de deur wiens gezicht in de schaduw is.

'Dat duurde lang.'

Hansson laat de bezoeker binnen. Het is Tornman. Wanneer ze de woonkamer in gaan, vangt Tornman nog net een glimp op van een naakte vrouw, die over de overloop verdwijnt. Ze is aanzienlijk jonger dan Hansson.

'Wil je iets drinken?'

'Ja, maar dat kan niet. Ik moet rijden.'

'Je weet toch wel wanneer jouw mannen controles houden?'

'Ja, dat is waar.'

Mats Hansson geeft Tornman een fles whisky en een glas. Hij mag zichzelf bedienen. Ze gaan zitten.

'Een mooie meid...'

Mats Hansson gaat daar niet op in. Tornman schenkt in en neemt een slok.

'Ze zijn dus tot de conclusie gekomen dat Bengt daar op die rots lag?'

'Ja. En nee.'

'Wat bedoel je daarmee?'

'Zijn gebit klopt.'

'Nou dan.'

'Maar de patholoog is een harde werker.'

'Probeer je nu eens wat duidelijker uit te drukken. Helder en duidelijk.'

'Hij is tot de conclusie gekomen dat die schedel van iemand is die veel ouder moet zijn dan veertig.'

'Shit... Wat betekent dat?'

'Dat het in het politierapport zal komen te staan. Dat ík moet schrijven. En dat zal iemand op gedachten brengen. Dat daar maar één verklaring voor is. Dat wanneer het gebit niet overeen-komt met de schedel, er iets mis moet zijn met de patiëntenkaart.'

'Wat gebeurt er dan?'

'Dan zal iemand snappen dat Bengt Ingemarsson niet dood is.'

'Maar er is toch geen mens die een misdrijf vermoedt? Wie maakt zich nou druk om zo'n stomme patholoog?'

'Dat is de vraag.'

'Je moet dit op de een of andere manier oplossen. Hoe, dat kan me niet schelen.'

'Je kunt anders niet het onmogelijke verlangen. Ik weet niet of het lukt.'

Mats Hansson strekt zijn hand uit en krijgt de whiskyfles terug. Hij neemt er een slok uit.

'Ik geloof eerlijk gezegd niet dat er voor jou zoveel te kiezen valt.'

'Is dat een dreigement?'

'Ik bedreig nooit iemand. Ik zeg gewoon waar het op staat.'

'Is dat zo?'

Tornman probeert de fles te pakken, maar Hansson geeft die niet. Het gesprek is dus afgelopen.

'Je moet dit regelen. Zo simpel is het.'

Tornman staat geschokt op en verlaat het huis.

De volgende dag is het een mooie dag in de late herfst, met een wolkeloze hemel en een temperatuur van iets boven nul. Louise rijdt naar het huis van Edvin, waar de schoorsteen rookt. Ze stapt uit haar auto, haalt de knuppel uit de kofferbak en kijkt om zich heen. Het bos is stil, maar ze hoort het geklingel van windgongen, ook al is het zwak. Met haar blik volgt ze een eenzame vogel die rust op de zwakke thermiek. Edvin doet de deur open.

'Wat is het stil...'

'Als je lang genoeg in deze streek hebt gewoond, dan draag je het bos altijd met je mee. Niet alleen wanneer je buiten bent.'

Louise loopt naar de voordeur en laat Edvin de knuppel zien.

'Wat is dit?'

'Weet je dat niet?'

Ze lopen naar binnen en gaan in Edvins rommelige keuken zitten. Sinds Louises laatste bezoek heeft hij nieuwe foto's aan de muren gehangen. Bengt Ingemarsson staat ook op enkele daarvan. Evenals Louises vader.

'Dit is een zeehondenknuppel.'

'En ik zou moeten weten wat dat is?'

'Ja, eigenlijk wel. Aan de scherenkust was de zeehondenjacht tot in de jaren dertig van de twintigste eeuw belangrijk. Daarna was het afgelopen. Dit is een oude zeehondenknuppel. Enorm oud zelfs.'

Edvin staat op en rommelt wat in een kast waar foto's uit vallen. Hij vindt er een paar waarnaar hij op zoek was. Er staan jachtgezelschappen uit het begin van de eeuw op, die zeehonden doodknuppelen op de rotseilanden aan de scherenkust. Alles wat Edvin zegt, wordt geïllustreerd door de foto's.

'Dat was een bloederig gebeuren. Maar daar leefden de mensen van. Van palingvisserij en zeehondenjacht. Daarna kwam de

Oostzeeharing. En toen de kabeljauw. En daarna was het allemaal afgelopen.'

'Jij bent afkomstig van die eilanden. Soms vergeet ik dat.'

'Mijn grootvader was loods. Vervolgens kocht hij zich in op een paar schuiten en noemde hij zich "reder". Mijn vader nam het bedrijf op Länsö over. En ik werd onderwijzer op een lagere school en fotograaf.'

'Iemand heeft die knuppel bij ons thuis voor de deur gezet. Maar is hij voor mij of voor Henrik bestemd?'

'Daar zul je op den duur wel achter komen.'

Louise is opgestaan en bestudeert de foto's aan de muren.

'Jezusmina zeg... Dat ben ik toch?'

Op de foto staat een schoolklas van dertienjarigen. Louise heeft moeite om zichzelf te herkennen.

'En dat is Kristina... Wat leken we toen op elkaar...'

De gelijkenis is opvallend. Louise bekijkt de andere foto's.

'Je zou ze moeten tentoonstellen. De maatschappelijke ontwikkeling van de laatste dertig jaar...'

'Veertig. De laatste veertig jaar.'

Louise houdt haar blik gericht op een foto waarop Bengt Ingemarsson de hand schudt van iemand die eruitziet als een gemeentelijke bobo. Henrik is nog net achter hem zichtbaar. Mats Hansson staat er ook op. Op een andere foto staat Bengt Ingemarsson naast iemand die een spade in de grond steekt. Louise wijst.

'Wie staat daar te graven?'

Edvin zet zijn bril op en kijkt.

'De toenmalige minister van Industrie. Hij zette de spade in de grond om de basis te leggen voor een heleboel luchtkastelen.'

'Je weet dat het Bengt Ingemarsson was? Die schedel op dat eilandje?'

'Ik heb het gehoord. Heeft iemand hem doodgeslagen? Of heeft hij er zelf een eind aan gemaakt?'

'Dat weten we niet. Het is vreemd... Ik heb vorige week een

drugsdealer naar de gevangenis gestuurd. Een kleine handelaar. Hij had tweehonderdduizend kronen omgezet. Waar is Ingemarsson mee verdwenen? Bijna honderdvijftig miljoen?'

'Hoe is het met Viola? Met mijn oude, verwarde zus?'

'Waarschijnlijk mag ze morgen naar huis.'

'Naar huis?'

'Kristina en ik zijn het eens. Ze moet nu naar een verzorgingstehuis. Er is een afdeling waar plaats is. Het gaat zo niet langer. Maar gemakkelijk is het niet...'

'Zelf wil ik dat je mijn as over zee verstrooit. Als dat tenminste mag.'

'Voor jou is het zo gemakkelijk!'

'Wie zegt er dat het allemaal zo moeilijk moet zijn? Bovendien is er iets wat helpt. Koffie.'

'Daar heb ik geen tijd voor.'

Maar ze verandert snel van gedachten.

'Of ja, doe trouwens toch maar.'

58

Louise is op kantoor aangekomen. Ze groet diverse medewerkers, pakt haar post en loopt naar haar kamer. Wanneer ze daar binnenkomt, gaat de telefoon en ze neemt op nog voordat ze is gaan zitten.

'Met Rehnström... Hallo...'

Haar gezicht wordt tijdens het luisteren steeds serieuzer.

'Ik kom eraan.'

Ze legt de hoorn erop.

Een vergaderkamer op het politiebureau. Tornman wacht op Louise. Onder een overheadprojector liggen verschillende foto's van een schedel.

'Het gebit is van Bengt Ingemarsson. Maar de schedel is van een oudere man?' vraagt Louise achterdochtig.

'Daar lijkt het inderdaad wel op.'

'Dat moet toch een vergissing zijn?'

'Dat denk ik ook.'

'Heb je een verklaring? Kan de tandarts zich vergist hebben?'

'We kunnen er wel van uitgaan dat dat niet zo is.'

Tornman bladert in zijn papieren en terwijl hij praat, legt hij drie foto's op een rij onder de overheadprojector.

'Kurt-Göran Stalman, drieënzestig jaar, bouwvakker. Precies elf maanden geleden spoorloos uit zijn huis verdwenen. Omdat hij depressief was, wordt aan zelfmoord gedacht. Dan hebben we Nils Enberg, vierenzeventig jaar. Een gepensioneerde klusjesman. Veertien maanden geleden verdwenen. Had grote schulden. Zijn vrouw lijkt zich niet direct op te winden over het feit dat hij weg is. En ten slotte Mattias Langeborn. Een Deense zomergast die een huisje in het bos heeft. Woonde daar tussen een hoop rotzooi. De tachtig gepasseerd. Hij is ook ruim een jaar geleden verdwenen. Hij schijnt gesignaleerd te zijn op zulke uiteenlopende plaatsen als Groenland en Barbados. Dus Joost mag weten of hij het is. Meer hebben we er in deze streek niet. Maar de zee is de zee. De winden waaien, schepen passeren, en er staan stromingen. Het zou een schedel kunnen zijn die aan een van deze drie toebehoorde. Maar dat klopt niet. Het gebit is van Bengt Ingemarsson. Daar moeten we van uitgaan.'

Tornman onderbreekt zichzelf, aarzelt, maar vervolgt dan: 'Hadden we zijn skelet maar. Maar dat zal wel in zee verdwenen zijn. Roofvogels. Stormen...'

'Heb je met zijn tandarts gesproken?'

'Alleen telefonisch.'

'Hoe heet hij?'

'Hökberg.'

'En hij is betrouwbaar?'

'Ik heb nooit iets anders gehoord.'

'Zorg ervoor dat je een afspraak met hem maakt.'

'Oké.'

'Misschien heeft Ingemarsson iedereen ook met zijn leeftijd voor de gek gehouden?'

'Hij zag er toch potverdorie uit als een jonge gast?'

Louise staat op. Ze aarzelt maar neemt dan een besluit.

'Ik wil nog steeds dat hier prioriteit aan gegeven wordt.'

'Ik ook. Het zou goed zijn als we deze geschiedenis uit de wereld konden helpen.'

Louise blijft staan.

'Je hebt hem vast vaak ontmoet.'

'Ik heb hem verhoord.'

'Hoe was hij?'

'Geslepen. Vriendelijk. Griezelig. Hij was een handige leugenaar. Nooit leugens uit slordigheid. Beleefd. Voorkomend. Ongelooflijk behulpzaam. Een klootzak in een Armani-kostuum.'

'Wat denk jij dat er is gebeurd?'

'Hij wist waar hij mee bezig was. Wie aan een kettingbrief begint, weet dat het vroeg of laat misloopt. Op de dag waarop hij met zijn nepzaken begon, is hij waarschijnlijk ook begonnen met de voorbereidingen voor zijn vlucht. Misschien naar Pitcairn Island…'

'Waarnaartoe?'

'Pitcairn Island. Wat voor boeken las jij toen je een kind was?'

Tornman staat op en loopt naar een wereldkaart die aan de muur hangt. Hij wenkt haar en wijst een vlekje in de Stille Zuidzee aan.

'Pitcairn Island. Waar de muiters van de Bounty hun toevlucht zochten. Heb je daar nog nooit van gehoord?'

'Kan best. Ik weet het niet.'

'Hij financierde trouwens de uitgave van een kostbaar boek over dat eiland. Hoewel de drukker nooit betaald is…'

'Maar daar is hij dus niet naartoe gegaan? Maar wel naar een klein eilandje, waar hij is gestorven?'

'Zijn zenuwen zullen het wel hebben begeven. Misschien begon zijn geweten op te spelen.'

'En zijn verloofde bleef eenzaam achter? Irene Lundin?'

'Hij had er waarschijnlijk meer dan één.'

'Geen kinderen?'

'Voorzover wij weten niet.'

Zwijgend overpeinzen ze een poosje wat er is gezegd. Dan knikt Louise en ze vertrekt. In de deuropening krijgt ze opeens een inval en ze komt de kamer weer in.

'Mats Hansson. Hebben we ooit met hem te maken gehad?'

'Hij kwam natuurlijk in het onderzoek naar Ingemarsson voor. Maar alleen zijdelings. Tegen hem zijn nooit verdenkingen geweest. Hij zit in zaken. Een soort verpakkingsindustrie. Ik geloof dat die "Ha-pack" heet.'

Louise knikt en gaat weg. Tornman kijkt haar na. Dan gooit hij gelaten zijn pen neer.

60

Louise komt thuis en begint langs het tuinpad op weg naar het huis in het wilde weg dode takken op te rapen. Henrik komt door de voordeur de stoep op. Hij is zich aan het kleden voor een feestelijke gelegenheid.

'Je moet nu wel opschieten. Anders komen we te laat.'

Louise staart hem niet-begrijpend aan. Dan weet ze het weer en ze mompelt zachtjes: 'Dat was ik vergeten…'

'Weet je wat ik denk? Dat je vergeten was dat we vanavond naar een feest moeten.'

'Natuurlijk was ik dat niet vergeten...'

61

In een feestzaal staat op een podium een bedekt beeldhouwwerk. Feestelijk geklede mensen. Louise ontwaart opeens Mats Hansson. Hoewel ze knikkend en glimlachend naast Henrik loopt, is ze met haar gedachten elders. Ze observeert stiekem gezichten, bijna uitsluitend van mannen. Mannen van middelbare leeftijd, sommige wat jonger, een enkeling ouder. Henrik merkt dat ze afwezig is.

'Waar denk je aan?'

'Niets.'

'Vind je het wel gezellig?'

'Nee. Jij wel?'

Henrik trekt slechts een grimas.

'Ik geloof dat het nu zover is...'

Hij loopt naar de buste, die op een tafel staat. De mensen verzamelen zich, er valt een stilte.

'Buiten waait het. Koude winden. Het is herfst. De winter komt eraan. Maar er waaien ook andere winden. Symbolische koudefronten stapelen zich op. Als hoogste vertegenwoordiger van de gemeente zie ik misschien duidelijker dan veel anderen dat we enorm krap bij kas zitten, de gemeente net zozeer als veel van haar inwoners. Maar zoals iemand zei: juist als je arm bent, moet je jezelf op een lekkere dure wijn trakteren. En ik vind dat het belangrijk is dat we ons af en toe een beetje ademruimte gunnen wanneer de herfstwinden koud zijn. Wanneer de financiële situatie moeilijk is. Daarom zijn we vanavond bijeengekomen om de buste te onthullen van een man die hier meer dan vijfentwintig jaar gemeenteraadslid is geweest. Leander Fröberg was tijdens zijn leven al een legende. Wat hij voor deze gemeente betekend heeft, weten we allemaal. Daarom heeft de gemeenteraad een jaar geleden besloten geld vrij te maken voor deze buste. Ik moet u er misschien aan herinneren dat dit een kwestie was waar alle politieke partijen het zonder discussie over eens waren. Mag ik dan nu kunstenares Ann Rydén vragen om naar voren te komen.'

De kunstenares komt naar voren. Henrik trekt aan een touwtje zodat het kleine doek valt. Leander Fröberg doet denken aan een chagrijnig kijkende Per Albin Hansson, de Zweedse oud-minister-president. Applaus.

62

Henrik en Louise zitten in de auto op weg naar huis. Het is laat en Louise is niet helemaal nuchter meer.

'Wat vond je ervan?' vraagt Henrik.

'Geen spat veranderd.'

'Bedoel je mij?'

'Die buste. Leander. De tiran. De stijfkop. Leander Fröberg.'

'Ja... Het was echt een klootzak.'

'Waarom zei je dat dan niet? "Nu gaan we de buste onthullen van een man die tijdens zijn leven een echte klootzak was. Die deze gemeente bestuurde alsof het zijn privé-onderneming was." Waar komt hij te staan?'

'Van mij mogen ze hem in een kast zetten.'

'Hij was een van degenen die Bengt Ingemarsson met open armen binnenhaalden. Die ervoor zorgde dat de gemeente vanaf het eerste moment borg stond. En hij was ook degene die de eerste schop in de grond zette voor de pulpfabriek.'

'Hoe weet je dat?'

'Dat heb ik bij Edvin thuis op foto's gezien. Daar stond jij trouwens ook op. En ik heb wat in oude onderzoeken zitten lezen.'

'Wat heeft het voor zin om daarin te gaan wroeten? Hij is toch dood?'

'Nieuwsgierigheid misschien.'

Henrik stapt over op een ander onderwerp.

'Leander geloofde nooit in wat hij deed. Maar hij wíst wel wat hij deed. En dat is heel iets anders.'

'Hoe zit dat bij jou? Geloof je of weet je?'

'Iemand moet de verantwoordelijkheid nemen. Iemand moet de moeilijke beslissingen durven nemen. Iemand moet vooruit durven kijken.'

'En dat doe jij?'

'Ja. Dat doe ik inderdaad.'

'Kristina beweert dat de dames in de kapsalon vinden dat jij kapsones hebt.'

'Dat zal best. Er zijn er die dingen denken en zeggen die nog veel erger zijn.'

Ze draaien door het hek de tuin in. Terwijl ze naar de voordeur lopen, blijven ze opeens staan om elkaar te omhelzen.

63

Die nacht is er in de slaapkamer sprake van een duidelijke intimiteit tussen Henrik en Louise.

'Denk je aan de afspraak van woensdag, om één uur?'

'Die vergeet ik niet. Ik wil immers kinderen, dat weet je. Ik maak me alleen over één ding zorgen.'

'Ik drink niet meer dan ik aankan.'

'Daar dacht ik niet aan. Maar jij werkt te veel.'

'Jij ook.'

'Ik word volgend jaar misschien wel weggestemd. Jij niet.'

'Jij wordt niet weggestemd.'

'Waarschijnlijk niet. Maar ik vraag me wel eens af waarom jij je steeds zo ontzettend moet bewijzen.'

'Als er iemand is die dat doet, dan ben jij het wel.'

'Maar jij veel meer! Dat weet je. We hebben dezelfde lullige jeugd gehad. Bij mij thuis was er één boek. Dat niemand had gelezen. En er werd gedronken, net als bij jou thuis. En daar lopen we nu allebei heel hard van weg.'

'Ik herken me niet in die beschrijving.'

'Maar ik heb gelijk. En dat weet je.'

Ze liggen stil in het donker. Henrik om te slapen, Louise om na te denken.

64

De vroege dageraad. De haven is net zo verlaten als de vorige keer. Wind en regen. Een auto draait de kade op en stopt. Mats Hansson stapt uit. Hij loopt naar een snelle, overkapte boot, die aan het einde van de pier ligt. Hij klimt aan boord en start de sterke motoren. De boot verlaat de haven en vaart tussen de grijze eilandjes door de zee op.

Na een uur varen glijdt Hansson aan land bij een steiger en een botenhuis aan een afgeschermde baai. Het eiland is niet groot. Bovendien ligt het ver in zee. Er staan weinig bomen, de rotsen zijn kaal afgesleten. Mats Hansson legt aan, meert de boot af en springt aan land. Vervolgens loopt hij naar het huis, dat in een kommetje ligt.

Hansson doet de voordeur van het slot. Nadat hij met behulp van een code een tikkend alarm heeft uitgezet, luistert hij in de duisternis. Hij loopt een kamer in die gedomineerd wordt door een groot bureau met een computer. Hij zet die aan, tikt zijn wachtwoord in en start het systeem. Er moet nog een wachtwoord worden ingevoerd. Ditmaal is dat 'Pitcairn'.

Mats Hansson zit achter zijn computer te wachten. Dan verschijnt er iets op het scherm. Het is Louises gezicht, dat onderdeel is van een soort persoonsdossier. Mats Hansson klikt op 'print' en tekst en beeld beginnen uit de printer te rollen. Wanneer hij klaar is, zet hij de computer uit, het alarm weer aan en doet hij de deur zorgvuldig op slot.

Hij loopt naar de steiger, waar de motoren stationair draaien. De boot verlaat de steiger. De zee ligt er verlaten bij en het waait hard.

65

Louise zit op haar kantoor. Ze leest beurtelings in ordners en typt tekst in op haar computer. Love klopt aan en gaat naar binnen.

'Heb je vandaag geen broodjes bij je?' vraagt ze quasi-teleurgesteld.

'Nee. Heb je honger?'

'Ja.'

'Ik kan je wel trakteren op een lunch.'

'Daar heb ik geen tijd voor.'

Ze wijst veelbetekenend op haar ordners.

'Het zal nog erger worden.'

'Dat kan niet. We hebben nu al onvoldoende tijd voor ons werk.'

Love duwt een papier onder haar neus. *Kantoren Openbaar Ministerie worden samengevoegd of ontbonden.*

Louise kijkt het bericht snel door.

'Maar dat kan toch niet?'

'Of het nou kan of niet, het is godgeklaagd. We komen dus met nog minder officieren te zitten dan we nu al hebben. En dan worden we ook nog samengevoegd. Hoe moet het dan met de samenwerking met de politie? Of met de belastingdienst? Het lijkt wel of het rechtswezen in dit land het gewoon voor gezien houdt.'

Ze voelen zich op dit moment allebei uitgeblust.

'Het is dus de bedoeling dat we alleen lieden als Stenberg en die figuur waar ik nu mee bezig ben, Färnström, achter de tralies zetten.'

'Waarom ben jij officier van justitie geworden?'

'Omdat... Ik weet het niet...'

'Jawel, je weet het wel. Je weet het donders goed.'

'Om ervoor te zorgen dat misdaad niet loont.'

'Misdaad loont wel. Dat weet iedereen. Wij als officier van justitie als geen ander. Misdaad is in Zweden nog nooit zo lonend geweest als tegenwoordig. Dus die reden is te vaag.'

'Om de boel schoon te houden.'

'Dat mag je niet zeggen. Misdadigers zijn mensen, geen viezigheid op de vloer. Doe nog eens een gooi.'

'Ik ben officier van justitie geworden om te proberen mee te helpen de grote criminelen te pakken die onze maatschappij elk jaar voor miljarden oplichten.'

'Elke maand. Elke week. Binnenkort elke dag. En nou worden we opgeheven. Ik ben officier van justitie geworden om dezelfde reden als jij. Uit een soort verantwoordelijkheidsgevoel.'

'Wat heeft het nog voor zin...'

'Ik weet het niet. Maar als dit realiteit wordt, dan is dat hetzelfde als de grote fraudeurs volledige immuniteit geven.'

Love staat zuchtend op. Louise blijft zitten en denkt na over het gesprek dat net heeft plaatsgevonden.

66

Kristina staat bij het ziekenhuis te wachten. Louise heeft haar auto geparkeerd en komt aanlopen.

'Sorry dat ik zo laat ben.'

'Heb je vandaag nog iemand ter dood veroordeeld?'

'Drie! Wat dacht je...'

'Wat is het koud, hè?'

'Ik heb zo'n hekel aan het najaar.'

Ze lopen het ziekenhuis in. In de gang zit hun moeder met haar jas aan te wachten. Ze lijkt nu opeens helemaal helder en glimlacht monter wanneer ze hen in het oog krijgt.

'Komen jullie met z'n tweeën? Weten jullie… Ik begrijp echt niet wat ik daar in het bos te zoeken had. Was het echt midden in de nacht? Waarschijnlijk heb ik iets geks gedroomd. Ik schaam me zo verschrikkelijk. Wat kun je de mensen toch een hoop last bezorgen.'

Viola kijkt Kristina aan.

'Louise! Kun jij Karl-Olov halen? Hij ligt daarbinnen te rusten.'

Kristina en Louise wisselen een blik van verstandhouding. Het is intens triest. Dan verlaten ze met z'n drieën het ziekenhuis.

67

Bij Louise en Henrik thuis ligt Viola in haar oude kamer te rusten. Kristina en Louise zitten in de woonkamer.

'Ze kan er morgen al terecht', zegt Kristina. 'Daar hebben we vreselijk veel geluk mee. We kunnen niet langer wachten.'

'Ik weet het.'

'O ja?'

'Ik besef dat het voor haar het beste is.'

'Het is voor jou het beste. Niet voor haar. Het beste voor haar zou zijn dat ze stierf voordat ze erbij ligt zonder te weten wie ze ook weer is.'

'Hoe kun je dat zeggen?'

'O? Hoe ik dat kan? Misschien omdat ik niet zo deftig ben. Misschien omdat ik een doodgewone kapster ben die vrouwen het permanent kan geven dat ze willen hebben. Die getrouwd is met een vent die werkloos is, niet met eentje die een ontslagpremie krijgt als hij in de problemen komt.'

'Wat bedoel je daarmee?'

'Krijgt hij die dan niet? Een ontslagpremie? Tien miljoen als hij zijn baan kwijtraakt.'

'Henrik is wethouder. Hij is politicus. Die krijgt geen ontslagpremie.'

'Nee, misschien niet, maar jullie redden je toch wel.'

'Waarom doe je zo lullig?'

'Ik doe niet lullig. Ik zeg gewoon waar het op staat. Er is wel degelijk onderscheid tussen mensen. Je ziet me morgen. Tot ziens.'

Ze vertrekt. Louise weet niet wat ze moet zeggen, maar ze is geschokt. Op de achtergrond verschijnt Emma.

'Trek het je niet aan.'

'Ik wist niet dat je er al was…'

'Dat had ik toch beloofd? Of niet soms?'

'Soms begrijp ik niet wat ze bedoelt.'

'En mijn moeder begrijpt jou niet. Dus staan jullie in feite quitte.'

Emma gaat op de bank zitten. Met een koptelefoon op en met schoolboeken. Louise kijkt naar haar. Ze loopt op haar af en zet Emma's koptelefoon af.

'Wat is een officier van justitie?'

'Iemand als jij.'

'En wat ben ik?'

'Iemand die mensen achter de tralies zet. En straffen eist die krankzinnig zijn. Van in de gevangenis zitten wordt toch niemand beter? Of wel soms?'

Louise schudt aarzelend haar hoofd. Resoluut zet ze de koptelefoon terug op Emma's hoofd.

68

Louise rijdt over de hobbelige weg naar Edvins huis. Het is mistig. Op de autoradio hoort ze muziek die doet denken aan de muziek die ze op Emma's koptelefoon heeft gehoord.

Opeens komt haar een taxi tegemoet. Het is lastig om elkaar te passeren, maar ze heeft nog wel gelegenheid om te zien dat er geen passagier in zit. Met een hoofd vol vraagtekens rijdt ze verder. Ze stopt voor Edvins huis en stapt uit. Edvin komt haar niet zoals anders op de stoep tegemoet. Ze blijft aarzelend staan. Dan loopt ze voorzichtig naar een raam en gluurt naar binnen. De keuken is verlaten. Ze loopt verder en gluurt door Edvins slaapkamerraam. Ze schrikt. Een verlepte, te zwaar opgemaakte vrouw van in de vijftig is in de kamer bezig zich uit te kleden. Edvin zit verwachtingsvol in zijn pyjama op de rand van het bed. Louise trekt snel haar hoofd terug. Ze kan nauwelijks geloven wat ze heeft gezien en kijkt nog een keer om zich ervan te vergewissen dat ze zich niet heeft vergist.

Dan haast ze zich terug naar haar auto en rijdt weg.

69

Louise draait de oprit op. Henriks auto staat er nog niet. Binnen blaft de hond. In het wilde weg raapt ze wat rommel van het gazon, maar ze geeft het algauw op en gaat naar binnen. Emma is op de bank in slaap gevallen. Louise wekt haar.

'Wil je dat ik je naar huis breng?'

'Ik ga met de fiets.'

'Het is koud.'

'Breng jij me morgenochtend naar school?'

Ze begint haar spullen bij elkaar te pakken. Louise neemt haar op. Misschien een beetje jaloers?

'Tot ziens. En bedankt voor je hulp.'

'Je hebt maar één grootmoeder van moeders kant. Of niet?'

Ze vertrekt. De deur slaat dicht. Louise loopt rusteloos rond, voert de hond en ziet dan dat er post op de keukentafel ligt. Ze gaat aan tafel zitten en bladert er afwezig doorheen. Een van de enveloppen trekt echter haar aandacht. Ze scheurt hem open en ontvouwt het blad. Er staan twee zinnen op, twee vragen, zonder afzender: *Wie zegt dat Bengt Ingemarsson dood is? Wie zegt dat hij leeft?*

Louise blijft met de brief in haar hand zitten.

III

Visvangst

Er is een taxi naar Edvins huis gereden. Het is ochtend. De vrouw stapt het huis uit. In de deuropening geeft Edvin haar wat bankbiljetten. De vrouw telt ze snel na en loopt naar de taxi, terwijl Edvin tevreden op de stoep blijft staan. De taxi rijdt weg door het bos.

Het is een hectische ochtend in huize Rehnström. Henrik is telefonisch in gesprek en praat over de gemeentebegroting: 'Het helpt niet dat we geld heen en weer verplaatsen. De tekorten lopen veel te veel op... Er moet nog meer bezuinigd worden...' Ondertussen drinkt hij koffie.

Louise dept de yoghurt op die haar moeder op haar blouse heeft geknoeid. Ze werpt steeds blikken in de richting van de anonieme brief, die op een tafeltje ligt. Henrik beëindigt zijn gesprek.

'Ik ben vanavond laat. Er is een extra vergadering over de begroting ingelast.'

'Ik moet met je praten voordat je weggaat.'

'Waarover dan?'

'Kunnen we even gaan zitten?'

'Daar heb ik geen tijd voor.'

'Laat dan maar.'

'Zoals je wilt.'

'Waarom kun je nou godverdomme nooit een keer een avond thuis zijn?'

Haar uitbarsting komt onverwachts. Haar moeder kijkt haar streng aan.

'Wat ben jij aan het vloeken...'

'Sorry.'

'Ik moet nu weg.'

Henrik probeert haar een kus te geven. Louise keert hem demonstratief de rug toe.

'Dag.'

'Louise... Verdomme...'

'We hebben het er later wel over. Wanneer jij tijd hebt. Een andere keer. In een ander leven. Oké?'

'Dat is niet eerlijk.'

Henrik wordt nijdig en vertrekt. De deur slaat dicht. Louise kijkt om zich heen. Waar moet ze mee beginnen? Ze ziet dat haar moeder jam op haar wang heeft. Ze verliest haar geduld en veegt de jam nogal hardhandig weg, alsof haar moeder een kind is. Ze kijkt door het raam naar de regen en de wind.

72

Louise komt het Openbaar Ministerie binnenstormen. Ze klopt bij Love aan en opent de deur nog voordat hij heeft kunnen reageren.

'Heb je tijd?'

'Natuurlijk heb ik dat. Kun jij je trouwens die beroving van dat postkantoor nog herinneren? Er is hier een hoger beroep binnengekomen dat je eigenlijk zou moeten lezen...'

Louise werpt de brief op zijn bureau.

'En jij zou dit moeten lezen!'

'Wat is het?'

'Lees dan!'

Love leest het korte briefje en kijkt haar vragend aan.

'Ja, en?'

'En?'

'Er staat geen naam onder.'

'Is dat dan gebruikelijk bij anonieme brieven? Deze heb ik gisteren gekregen. Thuis.'

'"Wie zegt dat Bengt Ingemarsson dood is? Wie zegt dat hij leeft?" En dus? Heb je nooit eerder een anonieme brief gekregen?'

Louise denkt na. Dan barst ze in lachen uit.

'Jawel, eentje. Maar ik weet wel van wie die afkomstig was. Van de moeder van iemand die wegens mishandeling tot drie maanden was veroordeeld. Ze maakte haar verontschuldigingen voor zijn gedrag. Ze vond het goed dat hij de gevangenis in ging, maar hij had eigenlijk méér moeten krijgen.'

Love trekt een lade van zijn bureau open en pakt een stapel brieven. Er hangt inmiddels een soort galgenhumorsfeer.

'De brieven die ik serieus vond, heb ik geregistreerd en aan de politie gegeven. Deze zouden eigenlijk ook moeten worden geregistreerd. Maar ik heb in strijd met de wet gehandeld en ze geleidelijk bij mijn eigen geheime archief ingelijfd.'

Met een verrukte blik trekt hij een brief uit de stapel.

'Ben jij preuts?'

'Ja. Nee. Dat hangt ervan af.'

'Dit is een anonieme schrijver die vindt dat ik thuis mijn moeder zou moeten gaan neuken in plaats van mensen aan te klagen voor misdaden die ze niet hebben begaan. Ondertekend door "Iemand die hartstikke kwaad is". Zo zijn er meer. Behoorlijk schunnig. Wil je ze horen?'

'Graag... Of trouwens, nee. Maar iemand stelt aan mij twee vragen: "Wie zegt dat Bengt Ingemarsson dood is? Wie zegt dat hij leeft?" We hebben dit natuurlijk nog niet naar buiten gebracht. Wie weet hier meer van?'

'Toen Ingemarsson verdween dacht iedereen: die heeft de zon opgezocht. Die neemt het ervan met al zijn gestolen geld. Niemand dacht: hij is naar een eilandje gevaren om er een eind aan te maken. Hij werd een mythe, Louise. Mensen houden van spoorloos verdwenen mensen. Ik ook. Iemand wil aan die mythe peuteren en porren. Eraan meedoen. Dus iemand stuurt jou een brief. Als ik jou was, zou ik er niet over gaan zitten piekeren. Anonieme brieven hebben maar heel zelden betekenis. En je wordt toch niet door iemand bedreigd?'

'Maar degene die dit schrijft, weet toch iets? Wat niet...'

'...in de kranten heeft gestaan. Ik weet het. Maar iemand kan natuurlijk zijn eigen conclusie hebben getrokken.'

'Verdomme, dat jij ook altijd gelijk moet hebben.'

Ze staat op.

'Nog even over die overval op dat postkantoor...' doet Love een poging.

'Kunnen we het daar later over hebben?'

'Nee. We moeten namelijk ons werk doen.'

'Doe ik dat dan niet?'

'Jawel. Maar Ingemarsson is niet belangrijk. Hij is verdwenen. Uit het systeem. Hij is verdomme net zo verdwenen als al dat geld dat hij heeft meegenomen.'

'Waar is dat geld trouwens?'

'Weet je hoeveel tijd het tegenwoordig kost om een miljard kronen te verplaatsen? Tussen tien banken in tien verschillende landen? Een halfuur. Niet meer, waarschijnlijk zelfs minder. Je stelt een verkeerde vraag, Louise. "Waar is dat geld?" Het antwoord is dat het zich de hele tijd veel sneller verplaatst dan wij het kunnen opsporen. We lopen altijd achter de feiten aan.'

Louise gaat weer zitten.

'Die man die dat postkantoor heeft overvallen, Gideon Svensson. De verdediging is in hoger beroep gegaan. Ze zijn van mening dat er nieuw bewijsmateriaal is. Maar ik vind van niet. Wat vind jij?'

Love geeft haar een dossier. Ze pakt het aan en vertrekt.

73

Louise komt geïrriteerd en gestrest haar kantoor binnen. Ze draait de deur op slot, trekt de la van haar bureau open en pakt een flesje, maar verandert van gedachten en zet het terug. Dan pakt ze het

opnieuw en slaat de inhoud achterover met een gezichtsuitdrukking waaruit valt af te lezen dat ze er nu al spijt van heeft. Ze zoekt
keelpastilles en draait dan de deur weer van het slot. Met afkeer
werpt ze een blik op het dossier van de postovervaller.

74

Rusteloosheid heeft Louise het Openbaar Ministerie uit gedreven
en ze rijdt naar Kristina's kapsalon. Wanneer ze aan de deurklink
voelt, merkt ze dat de zaak gesloten is. Er hangt geen briefje met de
reden daarvoor, waardoor haar rusteloosheid nog groter wordt.

75

Louise rijdt door een woonwijk waar huurhuizen en eenvoudige
vrijstaande woningen door elkaar heen staan. Ze stopt bij een hek.
Ze stapt uit, doet het hek open, loopt het tuinpad op en belt aan.
De deur wordt geopend door Roland, die gekleed is in een overall.
  'Hoi. Ben je thuis?'
  Ze kan haar tong wel afbijten. Roland gaat zwaar gebukt onder
het feit dat hij werkloos is.
  'Nee, ik ben verdomme niet thuis. Ik sta op dit moment
keukenkastjes op te hangen in een van die nieuwbouwhuizen
waarvan die vent van jou heeft beloofd dat ze er zouden komen…
Natuurlijk ben ik thuis. Waar zou ik anders moeten zijn?'
  'Sorry. Dat was stom van mij.'
  'Ja, dat was het zeker. Maar ik overleef het wel. Kom je nog
binnen of blijf je buitenstaan?'
  'Ik ben langs de salon gereden, maar die was dicht.'
  'Kristina voelt zich niet lekker.'
  Roland laat Louise binnen en verdwijnt zelf door de achterdeur
naar buiten.

Louise loopt de woonkamer in. Kristina ligt op de bank met plukjes watten in haar neus.

'Ben je niet lekker?'

'Ik heb alleen maar neusbloedingen.'

'Waarom?'

'Waarom? Van de stress, neem ik aan. Is dat niet de oorzaak van de meeste kwalen?'

Kristina gaat overeind zitten. Om te kijken of het bloeden al gestopt is, haalt ze een pluk watten uit haar neus. Het bloeden is inderdaad opgehouden. Wanneer ze de andere pluk verwijdert, blijkt het tweede neusgat nog steeds te bloeden.

'Het is bijna over.'

'Ik kan mama wel alleen wegbrengen.'

'Dat doen we samen.'

Kristina staat resoluut op.

'Ik kom er zo aan.'

Louise kijkt in de woonkamer rond. Het ziet er veel eenvoudiger en armoediger uit dan bij haar thuis. Er staan alleen maar goedkope snuisterijen, in plaats van schilderijen hangen er posters aan de muur en er ligt een versleten vloerkleed dat ze nog kent uit haar ouderlijk huis. Ze kijkt door het raam naar buiten. Roland zit op een bankje in de regen te timmeren. Ze probeert te zien wat hij maakt, maar slaagt daar niet in. Ze opent de terrasdeur.

Louise loopt de regen in, naar Roland toe. Hij kijkt op, zegt niets, maar gaat neuriënd door met zijn werk.

'Wat ben je aan het maken?'

'Een poppenhuis.'

'Wordt dat niet lelijk in de regen?'

'Dat zal vast wel.'

'Is dat niet jammer?'

'Er is zoveel dat jammer is. Het maakt niet zoveel uit of er nog iets bij komt wat ook jammer is. Je moet toch wat doen, iets omhanden hebben. Als je niet helemaal gek wilt worden.'

'Dat begrijp ik.'

'O ja?'

'Ja. Toevallig wel.'

Roland bestudeert een detail van zijn werk.

'Wij hadden ook een poppenhuis toen we klein waren.'

'Jíj had een poppenhuis. Kristina niet.'

'Het was van ons samen.'

'Zo denkt zij er geloof ik niet over. Daarom wilde ik dit voor haar maken. Als het ooit afkomt. Ik hoop natuurlijk van niet.'

'Waarom niet?'

'Omdat ik hoop dat ik werk vind zonder dat ik daarvoor naar Noorwegen hoef. Hoe staat het trouwens met die nieuwe brand-weerkazerne waar Henrik het over had? Wordt dat nog wat of niet?'

'Dat moet je maar aan hem vragen.'

'Er wordt zoveel beloofd…'

'Volgens mij doet hij anders zijn stinkende best.'

'Maar een standbeeld van een ouwe bobo kunnen ze zich wel veroorloven.'

Kristina staat hen vanuit de huiskamer op te nemen. Ze klopt op de terrasdeur.

'Ik moet nu gaan', zegt Louise.

'Tot straks.'

'Fotografeer jij tegenwoordig nog wel eens wat?'

'Filmrolletjes zijn te duur.'

'Je zou eens naar Edvin moeten toe gaan om hem te helpen al zijn foto's door te nemen. Hij heeft daar een goudmijn.'

'Ik geloof dat hij die foto's zelf wil ordenen. Oude fotografen worden soms een beetje chagrijnig. Jonge trouwens ook.'

Louise loopt naar de terrasdeur. Daarna vertrekken Kristina en zij om hun moeder op te halen.

Louise en Kristina lopen het tuinpad van huize Rehnström af met hun moeder tussen zich in. Kristina houdt een paraplu op.

Ze komen aan bij het tehuis waar hun moeder gaat wonen en lopen naar binnen. De directrice is er om hen op te vangen. Viola kijkt vragend rond.

'Gaan we op reis? Is dit een hotel?'

Kristina noch Louise geeft antwoord. Er valt niets te zeggen en ze lopen langzaam verder. Als een koppige ezel blijft Viola opeens staan. Of als een slachtdier dat de dood ruikt.

'Wat doe ik hier?'

De directrice is erg vriendelijk.

'U zult het hier heel goed krijgen, mevrouw Mattsson.'

Viola verzet geen stap en kijkt alleen maar ongerust.

'Wat doe ik hier?'

Ze kijkt haar dochters smekend aan.

'Je gaat hier wonen, mama', zegt Kristina. 'Dat moet gewoon.'

Haar moeder begint verward en agressief te doen.

'Ik wil hier niet naartoe.'

'Dit gaat niet', zegt Louise. 'We moeten haar weer meenemen naar huis.'

'Natuurlijk gaat het wel', protesteert Kristina. 'Wij gaan hier ook wonen', zegt ze tegen Viola.

'Gaan we hier allemaal wonen?'

'Allemaal…'

'Waar is Karl-Olov?'

'Die is er al. Hij zit te wachten.'

Viola slaakt een zucht. Louise is ontdaan over Kristina's leugens, maar ze zegt niets.

'Goed dan. Als hij er maar is. Dan moet hij het verder maar regelen zoals hij het wil…'

Ze sloffen verder.

78

Viola zit ogenschijnlijk apathisch op het bed in haar kamer. Louise en Kristina zijn met haar spullen bezig. Roland heeft gezorgd dat de meubels er al naartoe zijn gebracht. In het ladekastje naast het bed leggen ze haar ringen en armbanden. Het zijn heel wat sieraden.

'Hoe zullen we het doen met het zomerhuisje?' zegt Kristina opeens.

Louise geeft geen antwoord. Ze gaan verder met de spullen.

'Zullen we haar sieraden hier echt laten liggen?' vraagt Louise. 'Ze zijn behoorlijk kostbaar…'

'Ik kan ze wel meenemen naar huis als je dat beter vindt.'

Louise heeft een armband in haar hand.

'Ze haalt ze vaak tevoorschijn om ernaar te kijken. Misschien is het voor haar fijner wanneer ze hier blijven.'

Nu is het Kristina die geen antwoord geeft. Ze blijven bezig met de spullen totdat alles een plekje heeft gekregen.

'Ik kan wel blijven', zegt Kristina dan. 'Ga jij maar.'

'Hoe kom je dan thuis?'

'Ik ga wel lopen. Of ik vraag Roland of hij me komt ophalen.'

Louise neemt afscheid van haar moeder. Ze verlaat de kamer en Kristina kijkt haar woedend na.

'"Hoe gaan we het doen met het zomerhuisje?" Takkewijf…'

Diezelfde avond ruimt Louise Viola's kamer uit. Haar moeder zal er nooit meer in terugkeren. Af en toe bekijkt ze een achtergebleven foto van Karl-Olov, haar vader. Wanneer ze tevreden is over het resultaat, gaat ze naar de zolder.

Ze begint tussen de rommel te zoeken totdat ze gevonden heeft wat ze zocht: het oude poppenhuis. In het halfduister blijft ze er lang naar zitten kijken.

Een zaklamp licht op buiten bij een raam. Er sneuvelt een ruit. Een hand steekt naar binnen en draait een deur van het slot. De zaklamp schijnt over de muren van het Openbaar Ministerie. Bij Louises deur hangt een naambordje en de bezoeker gaat de kamer in. Daar staan alle ordners over Bengt Ingemarsson. Een paar gehandschoende handen bladeren. Op een blocnote heeft Louise enkele aantekeningen gemaakt. *Ingemarsson. Waarom is het onderzoek eigenlijk mislukt?* Dat is het enige wat er geschreven staat. Met behulp van een koevoet wordt vervolgens een kast opengebroken. Daarin staat een geldkistje met een paar bankbiljetten erin, dat de bezoeker meeneemt. Binnen vijf minuten is het allemaal achter de rug.

De volgende ochtend staan Louise en Love in het kantoor van Louise de ravage van de inbraak te bekijken. Tornman verschijnt samen met iemand van de technische recherche in de deuropening.

'Wat is hier nou gebeurd?' vraagt Tornman.

Louise ergert zich aan Tornmans schertsende toon.

'Al ben ik dan geen politieagent, bij mij wekt het de indruk van een inbraak.'

'Is er iets weg?'

'De koffiekas.'

'Hoeveel zat erin?'

Love kijkt vragend naar Louise, die haar schouders ophaalt.

'Het was in elk geval geen honderdvijftig miljoen...'

'Kun je iets preciezer zijn?'

'De laatste keer dat ik geteld heb, was het driehonderdtwintig kronen.'

Tornman wendt zich tot de technisch rechercheur.

'Zoek jij dit eens uit en kijk of je iets vindt. We moeten maar afwachten wat voor conclusie we kunnen trekken, maar het wekt toch vooral de indruk van een gewone inbraak.'

'Wat zou het anders moeten zijn?'

Louise neemt opeens energiek het woord.

'Mag ik agent spelen? Heel even maar? Als het geen gewone inbraak was van junks die op geld uit waren, wat was het dan? Een bewuste inbraak in het OM? Wat hebben we hier dat je nergens anders hebt? En waarom nou net mijn kamer?'

'Hij is anders ook in mijn kamer geweest', protesteert Love. 'En in een aantal andere.'

'Maar daar hebben ze nergens aangezeten. De dief was duidelijk op zoek naar iets wat zich hier bevindt. En wat heb ik hier? Mijn papieren over allerlei aanklachten.'

'Het klinkt niet erg aannemelijk', zegt Tornman.

'Wie heeft er gezegd dat het aannemelijk is? Ik speel gewoon even. Ik denk.'

'En wat is je conclusie?'

'Geen.'

Ze maakt een uitnodigend gebaar in de richting van alle ordners met Ingemarssons papieren en wendt zich dan weer tot Tornman.

'Wat zei de tandarts? Hökberg?'

'Hij blijft erbij dat het om Bengt Ingemarssons patiëntenkaart gaat.'

'En de patholoog?'

'Hij blijft er ook bij dat het de schedel van een ouder iemand is.'

Louise denkt na.

'Ik wil zelf met ze praten. Met beiden.'

Tornman en Louise kijken elkaar strak aan. Ze daagt hem uit.

82

Op zee, tussen de verst gelegen eilandjes, deinen een douaneboot en een politieboot op de golven naast het eilandje waar de schedel werd gevonden. Agenten die het koud hebben. Een duiker komt boven water en wordt aan boord gehesen. Wanneer hij van zijn kap en zuurstofslang is bevrijd, schudt hij zijn hoofd. Geen boot, geen skelet, niets.

Het zoeken wordt gestaakt. Enkele drijvende pylonen worden opgepikt. De boten varen weg.

83

Louise zit op de rechtbank in de kamer van de officieren van justitie en leest de kop van een lokale krant: INGEMARSSON OF NIET? EEN LEVENSGROTE VRAAG. Er komt een bode binnen.

'Ik heb hier ene Lena Nordgren, die u wil spreken.'

'Wie is dat?'

'Dat weet ik niet. Ze heeft alleen haar naam genoemd.'

Louise raadpleegt haar geheugen, maar tevergeefs. Ze staat op en legt de krant weg. Op de gang wacht een jonge vrouw op haar.

'Ik ben Lena Nordgren. Hopelijk stoor ik u niet.'

'Ik heb zo een zitting.'

'Ik ben journalist. Ik zal er niet omheen draaien. Het gaat over de man die in rook opging.'

Louise zegt niets. Ze wacht af.

'Bengt Ingemarsson. Gek genoeg heeft daar eigenlijk nog nooit iemand serieus over geschreven. Het is net of het onder het tapijt werd geveegd.'

Louise is nog steeds op haar hoede, maar ze luistert aandachtig.

'Ik wilde me inlezen. De vraag is of u mij kunt helpen.'

'Met wat?'

'Hoe ging hij te werk?'

De bode verschijnt en geeft een teken.

'U moet later maar contact opnemen. Ik heb nu geen tijd.'

Wanneer Louise wegloopt, komt ze Love in de deuropening tegen. Hij komt de rechtszaal uit.

'Waarom is het daarbinnen zo warm? Er is zeker iets mis met de verwarming…'

'Laatst klaagde je er nog over dat het zo koud was.'

'Is dat zo? Dat weet ik niet meer.'

Louise geeft een teken en mimet achter Lena Nordgrens rug: 'Een journalist…'

De deur slaat dicht. Om Lena Nordgren te ontwijken loopt Love de andere kant op.

84

In de rechtszaal hangt een landerige sfeer. De verdachten heten Emma en Tage Samuelsson, een oudere vrouw en haar volwassen zoon. Ze zitten er met een rechte rug bij, alsof ze poseren voor een foto. Louise ziet tot haar verbazing dat de zoon zijn moeders hand vasthoudt. Hun raadsvrouw is een chique vrouw, iets ouder dan Louise. Ze knikken elkaar koeltjes toe.

De rechter lijkt zich aan verre mijmeringen over te geven. Louise bladert haar paperassen door en komt tot de ontdekking dat die over een heel andere zaak gaan: die van Färnström. Ze bladert verder. De rechter ontwaakt uit zijn gedachten en kijkt nerveus op de klok.

'Is officier Rehnström klaar om met haar betoog te beginnen?'

'Zo meteen.'

'Dat is mooi.'

De rechter snuit zijn neus. De juryleden en de griffier beiden hun tijd. Achter in de rechtszaal, boven de deur, hangt een opgezette adelaar, die waakt over alles wat er gebeurt. Louise heeft haar papieren nu op orde. Net wanneer ze wil beginnen, komt Lena Nordgren zachtjes binnen. Ze neemt plaats achter in de zaal.

'Het is de veertiende keer dat dit stel, de weduwe Emma Hedvig Samuelsson en haar zoon Tage Samuel Samuelsson, voor de rechter gedaagd worden wegens de illegale productie en verkoop van alcoholische dranken. Zoals uit het vooronderzoek blijkt, ging het niet bepaald om kleine hoeveelheden. Alleen gedurende het laatste jaar al gaat het om ongeveer duizend liter. We kunnen niet ontkennen dat dit een ernstig misdrijf is. Vooral ook omdat de heer en mevrouw Samuelsson al minstens vijftien jaar volharden in hun illegale praktijken...'

De rechter wordt uit zijn mijmeringen opgeschud en maakt een afwerend gebaar met zijn hand.

'Maar dit kunnen we toch allemaal zelf wel lezen? Er is toch een bekentenis afgelegd? Illegale productie van sterkedrank?'

'Mijn cliënten bekennen dat', antwoordt de raadsvrouw van de verdachten.

'En de verkoop?'

'Die bekennen ze ook.'

Louise neemt weer het woord.

'Het bewijs is dus zodanig compleet dat wij...'

De rechter onderbreekt haar.

'Dat weten we al. Ik vind dus dat we niet verder hoeven te gaan. Bovendien heeft de rechtbank het bericht gekregen dat mevrouw Samuelsson pijn aan haar been heeft. We hebben ook een doktersverklaring. De verdachten hebben een bekentenis afgelegd. We hebben genoeg om hier een oordeel te kunnen uitspreken. Als er althans niets nieuws bij is gekomen dat we niet hebben kunnen lezen?'

'Er zijn geen nieuwe beschuldigingen bij gekomen. Van mijn kant is er ook geen behoefte het bewijs aan te vullen. Ik blijf bij mijn eis: gevangenisstraf.'

'Heeft de raadsvrouw iets toe te voegen?'

'Niets anders dan dat mevrouw Samuelssons slechte been een extra omstandigheid is die pleit voor een voorwaardelijke straf.'

Het wordt stil in de rechtszaal. Het lijkt of iedereen ten prooi is aan een grote berusting. Louise werpt een blik over haar schouder en ontdekt Lena Nordgren. Haar gezichtsuitdrukking is moeilijk te duiden.

'Dan staken we de zitting nu', zegt de rechter.

Hij tikt slap met zijn hamer op tafel. Iedereen staat op. De raadsvrouw probeert aan haar cliënten duidelijk te maken wat dit allemaal betekent. Louise is naar de balie gelopen en praat met de rechter.

'Het is hier ontzettend warm.'

'Er is blijkbaar iets mis met het verwarmingssysteem. Dat moet worden vervangen. Iedereen maakt ruzie over wie dat moet betalen.'

De rechter wendt zich nu wat vertrouwelijker tot Louise.

'We kunnen dat mens niet in de gevangenis zetten. Ze heeft beenontsteking. Dat zou een hoop protest uitlokken. Zie jij haar al in een vrouwengevangenis zitten?'

'Ik heb de hele tijd beweerd dat de zoon als de hoofddader gezien moet worden. En die heeft toch geen beenontsteking?'

'Die is waarschijnlijk niet goed bij zijn hoofd. Ze zaten elkaars hand vast te houden. Zag je dat? Het is de vraag of hij überhaupt kan lezen.'

'Inderdaad. Maar tellen kan hij wel, geld althans. En ze hebben drank verkocht aan scholieren. Dat is ernstig.'

'Ja. Dat is natuurlijk zo.'

85

Wanneer Louise de rechtbank verlaat, staat Lena Nordgren haar op te wachten.

'Het is precies zoals je het je voorstelt.'

'Wat?'

'Een rechtbank in een klein stadje. De belangrijkste taak van de rechtbank is het veroordelen van thuisstokers.'

'Zou dat dan niet moeten gebeuren?'

'Ik denk aan Bengt Ingemarsson. En lieden zoals hij.'

'Dit is waarschijnlijk het enige wat hij niet heeft gedaan. Alcohol stoken. Maar hij had wel belangen in een firma die Italiaanse wijnen importeerde.'

Ze zijn bij Louises auto aangekomen.

'De grote jongens gaan vrijuit. De kruimeldieven worden in de gevangenis gezet.'

Louise bespeurt een zekere verachting in Lena Nordgrens woorden. Ze voelt de behoefte zich te verdedigen.

'Zo simpel is het nou ook weer niet.'

'Maar het resultaat is toch zoals ik net schetste. Of niet soms?'

'Nee.'

'Hoe is het dan?'

Louise is merkbaar geïrriteerd.

'Als u mij op het om belt, dan maken we een afspraak. Dan kunnen we dit rustig bespreken.'

Louise stapt in haar auto en glimlacht naar Lena.

'Als u iets wilt doen, dan moet u schrijven over hoe de Openbaar Ministeries in het land gedwongen worden om in te krimpen. Dat zou nou echt iets zijn om hemel en aarde voor te bewegen.'

Ze slaat het portier dicht en start de motor, geprikkeld en geprovoceerd door wat ze beschouwt als Lena Nordgrens arrogante houding. Of door het feit dat die misschien ergens wel gelijk heeft? Wanneer ze wegrijdt, ziet ze dat Lena Nordgren staat te praten met de advocate van de verdachten, wat haar nog nijdiger maakt.

86

Louise beent in snel tempo door de gang van het OM en doet de deur van haar kantoor open. Ze schrikt. In haar bezoekersstoel zit Tornman.

'Eigenlijk mag hier niemand binnenkomen zonder dat ik ervan weet.'

'Het is niet waarschijnlijk dat politiemensen bommen in bureauladen van officieren van justitie plaatsen.'

'Wat is er zo belangrijk?'

'We moesten prioriteit aan deze zaak geven, heb jij gezegd. En dat doen we. Er is daar bij dat eiland gedoken. Het was ijskoud in het water. Maar ze hebben niets gevonden.'

'Niets?'

'Nog geen vis, want de bodem van de zee is dood. In zekere zin is die waarschijnlijk ook vermoord.'

'Wat ga je nu verder doen?'

'Jij maakt uit of dit een vooronderzoek is. Of wat het verdomme ook is.'

'Ik wil twee dingen weten. Is het Ingemarsson of niet? En als hij het is, hoe is hij dan aan zijn einde gekomen?'

Tornman schudt gelaten zijn hoofd.

'En dan?'

'Dat hangt van je conclusie af.'

Tornman staat op, maar Louise is nog niet klaar.

'En die inbraak?'

'We hebben een paar vingerafdrukken die we door de registers halen. Maar getuigen zijn er niet. Er is niemand die iets heeft gezien of gehoord.'

'Er lopen hier nachtwakers rond. Kan het zijn dat de dief geluk had? Of kende hij de procedures?'

'Ik ben ermee bezig. Maar het kost natuurlijk tijd. Vooral wanneer je prioriteit aan andere dingen moet geven.'

Tornman vertrekt. In de gang blijft hij staan. In plaats van naar de uitgang te lopen keert hij om en klopt bij Love aan. Wanneer hij een reactie krijgt, gaat hij naar binnen en doet de deur achter zich dicht.

87

Tornman staat in Loves kantoor. Love voelt zich opgelaten.

'Wat wil je dat ik doe?'

'Jij bent haar baas. Als jij zegt dat we echt prioriteit aan die schedel moeten geven, dan doen we dat. Maar daar heb je natuurlijk niet echt goede argumenten voor.'

'Een argument waarvoor?'

'Klagen jullie niet dat jullie omkomen in het werk? Over de bezuinigingen? Waardoor jullie geen tijd hebben voor de echt belangrijke strafzaken?'

Love zegt niets.

'Dat wou ik gewoon even zeggen. Verder niets.'

'Is het Ingemarssons schedel?'

'Natuurlijk is het Ingemarssons schedel! Zelfmoord. De patholoog moet zich vergissen. Op de een of andere stomme manier.'

Louise heeft haar voeten op haar bureau gelegd en wipt er ongeduldig mee heen en weer. Na een poosje staat ze resoluut op en
grist haar jas van de kapstok.

Met doodsverachting scheurt ze over een provinciale weg.

Na een uurtje rijden komt ze aan bij een groot ziekenhuis in een
andere stad en verdwijnt naar binnen.

Op een zinken werkblad ligt de schedel. Louise staat naast Lundström en samen buigen ze zich over een patiëntenkaart, die zij
vasthoudt.

'Je hoeft geen specialist te zijn om te zien dat de gebitten
overeenkomen', zegt de forensisch patholoog-anatoom.

'Maar jij zegt dat dit de schedel is van een man van minstens
tachtig? Hoe stel je dat vast?'

'Leeftijdsveranderingen. Puur medisch gezien gaat het om
tamelijk ingewikkelde chemische substantiewijzigingen. Maar
dat staat allemaal in mijn rapport.'

'Je beseft natuurlijk dat dit van beslissende betekenis voor ons
onderzoek is?'

'De patiëntenkaart laat de tanden zien van iemand die tachtig
is. Dat is heel eenvoudig. Het is natuurlijk niet aan mij om uit te
leggen wat dat verder betekent. Of wel?'

Louise bedankt hem en verlaat het ziekenhuis. Wanneer ze in haar
eigen stad terug is, parkeert ze bij een winkel- en kantorencom-
plex midden in het centrum. Ze gaat op zoek naar een pand waar
op de deur staat dat 'Tandarts Ernst Hökberg' hier zijn praktijk

heeft. Plotseling blijft ze staan om de naam 'Hökberg' te bekijken. Ergens gaat er bij haar een belletje rinkelen. Ze laat het bezoek achterwege en loopt snel terug naar haar auto.

90

Henrik is op het gemeentehuis. Terwijl hij in een vergadering zit, komt er iemand binnen om hem een briefje te overhandigen. Henrik fronst zijn voorhoofd, verontschuldigt zich en gaat de kamer uit. Hij loopt naar zijn kantoor, toetst een telefoonnummer in en luistert. Zonder een woord te zeggen hangt hij weer op. Vervolgens pakt hij zijn jas en verlaat zijn kamer.

91

Louise is op haar kantoor in allerlei ordners aan het zoeken. Tegelijkertijd neemt ze op haar computer een namenregister door. Ze is nu druk aan het werk, maar ze kan niets vinden, zelfs niet in de laatste ordner. Gelaten en geïrriteerd zit ze in haar stoel, totdat ze ziet dat er nog een ordner is, die achter de andere is gegleden. Ook daarin begint ze te zoeken, maar dan stopt ze opeens. Ergens in het onderzoek over de duizelingwekkende zaken van Bengt Ingemarsson vindt Louise plotseling wat ze zoekt en ze leest hardop: '…een gedeelte van de hypothecaire leningen werd volgens Ingemarsson later ondergebracht in een firma waarvan hij mede-eigenaar was: Hökberg Trading…'

Louise blijft achter haar bureau zitten en denkt intensief na. Ze had dus gelijk. De naam 'Hökberg' komt in het onderzoek voor. Die naam was voorbijgeflitst. Maar wat betekent dat?

92

In het verzorgingstehuis zit Kristina naar haar slapende moeder te kijken. Dan opent ze het ladekastje naast het bed.

93

Over een bosweg nadert een auto die bij een meertje stopt. Mats Hansson stapt uit en steekt een sigaret op. Hij speelt met zijn aansteker. Wacht. Ergens fladdert een vogel op.

Tornman komt door het bos aanrijden en stopt achter Hanssons auto. Hij stapt uit.

'Is dit echt nodig?' vraagt Hansson.

'Natuurlijk is dit nodig. Wat dacht jij dan?'

Hansson biedt Tornman een sigaret aan, maar die schudt zijn hoofd. In de verte is het geluid van een motor te horen. Er komt nog een auto naderbij. Ook die stopt en nu stapt Henrik uit. Hij loopt op de andere mannen af. Ze praten op verontwaardigde toon met elkaar. Vooral Henrik is opgewonden.

94

Louise en Love zijn alleen in de vergaderkamer van het OM. Louise heeft de ordner waarin ze Hökbergs naam heeft gevonden meegenomen, maar Love aarzelt.

'Echt aannemelijk klinkt het niet.'

'Het is een feit. Er is iets mis met die patiëntenkaart. Een zó veel voorkomende naam is Hökberg niet. Natuurlijk kan het toeval zijn, maar dat denk ik niet.'

'Wat is het dan? Een samenzwering? Een tandarts die een patiëntenkaart vervalst? Zoiets gebeurt niet.'

'Ik ben in elk geval van plan dit uit te zoeken. Elk papier, elk detail. Ik ga op zijn minst uitzoeken of er een link is tussen Ingemarsson en Hökberg.'

'Voorzover ik weet, heeft niemand ontkend dat Hökberg zijn tandarts was.'

'Waarom doe je zo verrekte hatelijk?'

'Ik doe toch helemaal niet hatelijk?'

'Misschien was Hökberg Ingemarsson geld schuldig?'

'Wat wil je nou eigenlijk?'

Louise denkt na. Dan zet ze zich schrap.

'Ik denk dat Ingemarsson nog leeft. Ik denk dat hij zich verborgen houdt. En dat hij nog steeds contact heeft met mensen hier die hem helpen. En als hij nog leeft...'

'...hoeft dat niet te betekenen dat er voor ons ook maar enige reden is om het onderzoek te heropenen. Dan moeten we met heel nieuwe bewijzen komen. Dat zou een enorme klus worden. Hoeveel tijd denk je dat dat zou kosten? Alleen al drie maanden om alles door te lezen. Hoeveel is het? Drieduizend bladzijden?'

'Het zijn er meer dan vierduizend.'

'Dat red je niet in je eentje.'

'Dat weet ik.'

Ze kijkt hem sommerend aan, maar Love schudt zijn hoofd. 'Je gaat te snel.'

'Ik ben van plan dit met de hoofdofficier op te nemen.'

'Er zijn andere zaken die net zo belangrijk zijn. Waarom denk je dat hij ons goedkeuring zou geven om hier een hoop tijd aan te besteden? Het kan niet. Vergeet het.'

'Ik kan het in elk geval proberen.'

'Maar het zal je niet lukken.'

'Ik had eigenlijk verwacht dat jij me zou steunen.'

'Het gaat er niet om of ik denk dat dit belangrijk is of niet. Het gaat erom dat jij nul op het rekest zult krijgen.'

'Ik moet het in elk geval proberen.'

Love geeft het op. Hij spreidt berustend zijn armen uit.
'Doe wat je wilt. Maar het zal je niet lukken.'

95

Edvin heeft ergens in het bos net een van zijn windgongen opgehangen. Opeens hoort hij het geluid van motoren en hij ziet
twee auto's naderbij komen. Er verschijnt een frons op zijn voorhoofd. Hij pakt snel de kijker die hij bij zich heeft en bestudeert de
auto's nauwgezet.

Wanneer ze verdwenen zijn, loopt hij naar het pad. Dan hoort hij
dat er nog een auto aankomt en hij stapt opzij. Mats Hansson
nadert. De zonneklep bij de chauffeursplaats is naar beneden
geklapt en Edvin kan niet zien wie er achter het stuur zit. Mats
Hansson kan Edvin echter wel duidelijk zien.
   Edvin kijkt de auto's lang na. Hij is zeer nadenkend gestemd.

96

Het Openbaar Ministerie, laat in de avond. Love geeuwt en kijkt
op zijn horloge.
   'Ik heb een gezin dat me zo nu en dan ook nog wil zien.'
   'Hökberg Trading was een in Stockholm gevestigde bv. Volgens de statuten een onderneming die consumptiegoederen im-
en exporteerde. Ingemarsson zat in het bestuur, maar hij was geen
voorzitter. Verder komen er nog drie andere namen voor: Molin,
Sturesson en Wiberg. Maar geen Hökberg. Het staat hier allemaal
in deze papieren. We moeten de verbanden blootleggen die jullie
destijds niet hebben gevonden. We moeten opnieuw met de
betrokkenen praten. Andere vragen stellen.'
   'Niet wij. De politie. Maar waarom denk je dat ze nu meer

zullen zeggen? Ik kan me die Molin nog wel herinneren. Een oude textielarbeider die een goede vriend was geweest van Bengt Ingemarssons vader. Die zat daar alleen als stroman in dat bestuur en werd een paar keer per jaar op een lekker diner gefêteerd. Hij had geen idee waar hij mee bezig was. Waarom denk je dat hij ons opeens iets belangrijks te vertellen zal hebben? En Hökberg? Waar zit die?'

'Je moet toegeven dat je dit niet wist! Dat Hökberg niet alleen maar Ingemarssons tandarts was.'

'We weten nog steeds niet of dat zo is.'

'Ten opzichte van toen is er nu iets veranderd. Iets enorm belangrijks. Wat is het verschil? Tussen toen en nu?'

'Dat weet ik niet.'

'De mensen waren onder de indruk van Bengt Ingemarsson. Van die man die alleen maar lachte. Ze waren onder de indruk, maar ze waren ook bang. Dat is nu niet meer zo. De mensen zijn alleen nog maar kwaad op dat soort types die een hele stad oplichten.'

'Er worden in dit onderzoek zo'n tweehonderdveertig mensen genoemd. Als ik me niet vergis, woont er eentje in São Paulo en een andere in Perth in Australië.'

'We hoeven natuurlijk niet met die twee te beginnen. De vraag is nog steeds wat er met Ingemarssons patiëntenkaart is gebeurd.'

Ze buigen zich weer over hun paperassen. Wanneer Louise gaat zitten, schuift haar rok wat omhoog. Loves blik glijdt vluchtig over haar benen.

97

Louise zet laat in de nacht haar auto in de garage. Ze is erg moe en rommelt met haar sleutels wanneer ze de deur van het slot draait. De hond komt aangerend, maar ze duwt hem weg. Henrik zit achter zijn bureau te werken. Louise gaat naar binnen. Ze kijken elkaar aan. Henrik is opeens milder gestemd, iets wat Louise aanvankelijk verbaast, maar wat ze dankbaar aanvaart.

Hij imiteert haar: '"Kun je nou nooit eens een avond thuis zijn..."'

'Ik was zo moe toen ik dat zei.'

'Je werkt te veel. En ik ook.'

Ze gaat op de bank zitten. Henrik begint haar schouders te masseren. Zij aait de hond.

'Het was niet Bengt Ingemarsson die daar op dat eilandje lag. De patiëntenkaarten zijn op de een of andere manier verwisseld. Iets wat eigenlijk niet zou mogen gebeuren.'

'Hoe kan dat dan?'

'Dat weet ik nog niet. Ik heb geen puf om erover te praten.'

'Dat begrijp ik... Ik heb eten gemaakt.'

'O ja?'

Ze lopen naar de keuken. Henrik heeft de tafel gedekt.

'Volgens mij moet jij nu aan heel andere dingen denken. Tenzij je stoom wilt afblazen, natuurlijk.'

Ze gaan zitten en beginnen te eten.

'God, wat lekker...'

'Als je geen zin hebt, zwijg je. En anders praat je maar.'

'Ik weet het niet meer... Maar volgens mij is er een relatie tussen Ingemarsson en Hökberg, zijn tandarts, die niet alleen met het onderhoud van zijn gebit te maken heeft. Waarschijnlijk hadden ze ook gezamenlijke zakelijke belangen. We moeten terug. Weer bij het begin beginnen. Wie heeft hem het laatst gezien?'

'Je bent wel volhardend.'

'Dat weet ik niet... Een dode kun je niet voor de rechter brengen. Daarom probeer ik hem weer tot leven te wekken. Het is net als met die buste van Fröberg. Het gaat erom dat je iets onthult en uitzoekt wat er nou eigenlijk gebeurd is.'

'Is dat alles?'

'Ik zal jouw steun nodig hebben.'

'Die geef ik je toch altijd?'

'Nu meer dan ooit.'

Henrik neemt haar aandachtig op.

'Waar zit je aan te denken?'

'Het is net of er in deze maatschappij een in- en een uitgang is. Maar wat daartussen gebeurt, weet je niet. Het is net of er een groot zwart gat in dit land zit, waarin alle belangrijke besluiten worden genomen. Waarin de zwendel tot stand komt. Waarin fraudeurs naar eigen goeddunken de lakens uitdelen. Misschien kom ik dingen tegen waarvan ik niet weet hoe ik ze moet interpreteren. Daar moet jij me bij helpen.'

'Wie zegt dat ik er meer van snap dan jij?'

'De politiek vormt een deel van dat zwarte gat. Althans, als ik jou moet geloven, wanneer jij vertelt over hoe het toegaat.'

Henrik gaat naast haar zitten. Ze eten met hun vork uit dezelfde schaal.

'Het komt heel weinig voor dat ik oneerlijke politici tegenkom. Minder getalenteerde, ja, zelfs bekrompen en een beetje belachelijke figuren. Carrièrebeluste en zelfingenomen pausjes. Maar oneerlijk... nee.'

'Toch waren jullie het die Bengt Ingemarsson mogelijk hebben gemaakt. Al die jaknikkers. Was er echt niemand die hem doorzag?'

'Het is net als met de ontdekking van een goudader. Iemand ziet dat er misschien goud in een rots zit en schreeuwt zijn ontdekking in het rond omdat hij investeerders nodig heeft. En die stromen van alle kanten toe. En ze willen allemaal dat hij gelijk heeft.'

'Er is één ding dat ik me afvraag. Is er een punt geweest waarop hij fatsoenlijk was? Waarop hij deze streek echt aan banen wilde helpen? Of was het vanaf het begin een cynische en bewust geplande leugen?'

'Het is jammer dat je hem dat niet kunt vragen. Hij is de enige die het antwoord weet.'

'Maar wat denk jíj?'
'Ik heb hem niet zo goed gekend.'
'Geloofde jij in hem?'
'Hij kon erg overtuigend zijn. De feiten die hij presenteerde waren heel goed uitgewerkt. Zijn punctualiteit was overtuigend. Zijn gulheid was overtuigend. Toen alle andere dromen dood leken, droomde hij voor iedereen. Ik wil dat je dat niet vergeet. Ook al heb je nu je zin gekregen. Dat Bengt Ingemarsson blijkbaar nog leeft.'

Louise begrijpt wat hij bedoelt.

'Ik zal het niet vergeten. We moeten woensdag naar de dokter.'

Ze lijken elkaar op dit moment weer te hebben gevonden. Louise is opgestaan. Ze slaan hun armen om elkaar heen. Als in het voorbijgaan zegt ze: 'Er is vannacht op het OM ingebroken. Iemand heeft in mijn kamer lopen snuffelen.'

Henrik wordt bang. Dit is nieuw voor hem. Er beginnen dingen te gebeuren waarover hij geen controle heeft. Louise kijkt hem aan. Hij weet zijn bezorgdheid echter te verbergen.

'Je hebt lekker gekookt.'

'Graag gedaan.'

98

De volgende dag arriveert Louise op het politiebureau. Ze geeft een paar agenten een knikje. Er wordt juist een dronkeman vrijgelaten en die is woedend. Hij beklaagt zich erover dat hij gisteravond zijn formulier voor de paardentoto niet heeft kunnen inleveren en wordt door geduldige agenten de deur uit gewerkt. Louise slaat hem gade met een mengeling van nieuwsgierigheid en afkeer.

Dan loopt ze door naar Tornmans kantoor. Daar zit nog een andere politieman. Tornman neemt haar kil op.

'Ik heb gehoord dat je persoonlijk bij Lundström bent langs-gegaan. De patholoog-anatoom. Ben je ook bij Hökberg ge-weest?'

'Nog niet.'

'Ga je ons werk overnemen?'

Louise negeert zijn vraag en windt er geen doekjes om.

'Die patiëntenkaart moet vervalst of verwisseld zijn. Bengt Ingemarsson heeft hier maar een paar jaar gewoond. Daarvóór moet hij een andere tandarts hebben gehad. In Norrköping of in Stockholm. Er moet een andere patiëntenkaart zijn. Ik wil dat je die opspoort.'

Tornman zegt niets, maar hij realiseert zich dat Louise elk woord meent. En ze gaat onverschrokken verder. Zij wíl nu iets.

'Ik wil dat we Ingemarssons laatste dagen hier in de stad in kaart brengen. Dat is nooit gebeurd, maar daar gaan we nu verandering in brengen. We gaan terug in de tijd. Wie heeft hem eigenlijk als vermist opgegeven?'

'Het oorvijgmens.'

'Wie?'

'Irene Lundin. Zij heeft hem als vermist opgegeven.'

Tornman duwt een ordner in Louises richting.

'Ik ga morgen met haar praten.'

'Het zou goed zijn als dit onderzoek zo krachtdadig mogelijk werd uitgevoerd. Ook al kunnen we een misdrijf nog steeds niet bewijzen.'

Ze staat op en pakt haar papieren bij elkaar.

'Laat je wat van je horen?'

'We laten wat van ons horen.'

Louise knikt naar beide mannen en verlaat de kamer.

De agent die tot nu toe nog niets heeft gezegd, verbreekt zijn stilzwijgen.

'Wat bedoelde ze met dat laatste?'

'Dat we gewoon werken in het tempo dat wij bepalen.'

'Was haar vader niet bij Ingemarssons zaken betrokken?'
'Hij investeerde erin en is alles kwijtgeraakt.'
'En daarna is hij gestorven?'
'Waarschijnlijk heeft hij zelfmoord gepleegd; hij heeft zich in een bosmeertje verdronken of zo. We hebben hem nooit gevonden.'
'Misschien was het zijn schedel die we hebben gevonden? De schedel van haar vader?'
'Dat zou heel mooi zijn geweest, maar helaas is dat waarschijnlijk niet het geval. Ik heb heus wel gezien hoe ze daar op dat eiland het gebit controleerde. Ze vroeg zich vast af of het haar vader was. Maar hij was het niet.'

99

Bij een winters verlaten badstrand met een paar glijbanen staat Mats Hansson bij gebrek aan golfballen brood weg te gooien. Een jongere man duikt vlak bij hem op. Het is Färnström, de man die voorkomt in een van de zaken die Louise op haar bureau heeft liggen.

Ze voeren een kort gesprek. Färnström verwijdert zich. Mats Hansson begint nu steentjes in zee te gooien.

100

Edvin staat voor zijn huis met een emmer in zijn hand. Hij ziet Louises auto het erf op draaien en stoppen. Ze stapt uit en steekt meteen een sigaret op.

'Je rookt te veel.'
'Ik weet het.'
'Ik wilde juist de netten binnenhalen. Weet je nog hoe je moet roeien?'

'Dat denk ik wel.'

Ze lopen langs de bosweg.

'Er kwamen hier gisteren auto's langs', zegt Edvin. 'Dure auto's, maar ik kon niet zien wie erin zaten.'

'Wat hadden die hier te zoeken?'

'Dat vraag ik me ook af…'

Ze lopen zwijgend verder.

'Eigenlijk heb ik hier geen tijd voor. Ik zou op mijn kantoor moeten zitten om een zaak voor te bereiden tegen een man die zijn vrouw in elkaar slaat. Dat doet hij al negentien jaar. Onbegrijpelijk dat ze nog leeft.'

'Dan moet je maar terugrijden. Ik red me wel met die netten.'

'Zo bedoelde ik het niet.'

Ze lopen verder. Opeens barst Edvin in lachen uit.

'Wat kwam je laatst doen?'

Louise voelt zich betrapt.

'Wanneer?'

'Jij kunt slecht liegen. Jij kwam toch langs toen ik bezoek had? Maar je hebt niet aangeklopt, wat natuurlijk sympathiek is. Als je wordt gestoord is het met een erectie namelijk maar een beetje zo zo.'

Louise begint te giechelen om zijn onomwondenheid.

'Ik was een beetje verrast…'

Edvin is heel zakelijk en onsentimenteel wanneer hij verdergaat.

'Natuurlijk was je dat. Een ouwe vent die in het bos woont hoort geen vrouwen op bezoek te krijgen. Vooral niet wanneer ze in een taxi komen. Ze heet Inga. Eén keer in de maand bel ik om haar te laten komen. Ze is niet mooi, maar wel lief. En meestal niet al te aangeschoten. Ik krijg waar ik behoefte aan heb. En zij krijgt wat geld van mij. Maar die taxi is afgrijselijk duur, heen en weer naar de stad.'

Hij neemt haar onderzoekend op.

'Heb je bedenkingen?'

'Nee.'

'Jawel, die heb je wel. Edvins schunnige geheimpje. En misschien is het dat ook wel. Wat weet ik daarvan?'

Ze zijn bij het meer aangekomen. Daar ligt een roeiboot. Ze stappen erin. Edvin duwt de boot het glinsterende, donkere oppervlak op.

'Je moet langzaam en gelijkmatig roeien. Zoals je ademhaalt. Geen schokkerige bewegingen, geen abrupte slagen... Zo ja...'

Louise zit aan de riemen en Edvin begint netten op te halen. Af en toe spartelt er een vis.

'Ik ben al die oude foto's aan het doornemen. Daarbij komen een hoop leuke herinneringen boven.'

'Wat dan bijvoorbeeld?'

'Nu roei je te snel... De mensen die je allemaal hebt gekend. Mijn foto's staan vol met mensen die er niet meer zijn. Dode mensen die lachen.'

'Ik weet niet of je hebt gehoord dat de schedel ondanks alles toch niet van Bengt Ingemarsson was? Daarvoor kwam ik hier.'

'Nee, dat wist ik niet.'

'Ik zou alle foto's die jij hebt en waar hij op staat willen doornemen.'

'Ik zal er een stapel van maken. Staat het vast dat hij nog leeft?'

'Ik ben er zeker van.'

'Maar jij krijgt hem nooit te pakken. Hij gaat vrijuit.'

'Ik ben niet van plan het op te geven.'

Edvin geeft geen antwoord. Hij haalt het laatste stuk van het net omhoog.

'Veel is het niet, maar voor mij is het genoeg.'

'En voor de katten.'

'En voor de katten...'

Louise roeit terug naar de oever. Daar trekken ze de boot aan land. Dan keren ze terug langs het pad met hun netten, emmer en magere vangst. Af en toe blijven ze even staan om naar een van Edvins windgongen te luisteren.

101

Ze zitten binnen en Edvin rommelt in allerlei lades. De katten eten vis. Louise wacht ongeduldig af. Edvin komt met een stapel ongesorteerde zwart-witfoto's.

'Dit is volgens mij alles wat ik heb.'

'Jij gooit nooit wat weg. Als je zoekt, heb je er vast nog meer.'

'Wat denk je eigenlijk te vinden op die foto's?'

'Verbanden.'

'Er staan alleen maar gezichten op.'

'De gezichten van sommige mensen verraden verbanden wanneer ze samen op een foto staan. Mensen die zich schuldig maken aan economische delicten opereren nooit alleen.'

Zorgvuldig begint ze de foto's door te nemen. Edvin neemt een poes op schoot en volgt haar werk.

102

Na een paar uur zet Louise een oude aktetas met een gedeelte van Edvins foto's in haar kofferbak en ze neemt afscheid.

103

Louise gaat bij het verzorgingstehuis naar binnen en loopt meteen door naar de kamer van haar moeder. Ze klopt aan, maar er komt geen reactie. Wanneer ze de deur opent, ziet ze dat haar moeder onder een deken op bed ligt te slapen.

Ze wil de deur weer sluiten, maar ziet dan dat de bovenste lade van het kastje naast het bed niet goed dicht zit. Ze loopt de kamer in en trekt de lade open. Een groot deel van haar moeders sieraden is weg.

104

Louise is gestopt bij de kapsalon van Kristina. Door het raam vangt ze een glimp van haar zus op. Louise aarzelt. In plaats van naar binnen te gaan rijdt ze weer weg.

105

Louise parkeert bij het OM en stapt uit.

Opeens staat Irene Lundin naast haar. Louise schrikt, alsof ze bang is opnieuw te worden geslagen.

'Hebt u tijd?'

'Dit is weer net zo onverwacht als de vorige keer...'

'Ik bied u mijn excuses aan voor het feit dat ik u heb geslagen.'

'Ja, dat is inderdaad wel op zijn plaats.'

'Ik doe dat en ik meen het.'

'Misschien moeten we hier niet blijven staan...'

Louise wijst naar een konditorei aan de overkant van de straat.

106

Ze zitten aan een tafel bij het raam. Louise neemt Irene Lundin op. Het is een erg mooie vrouw, maar ze ziet er moe en getekend uit.

'Als u denkt dat ik er spijt van heb dat ik u heb geslagen, hebt u het mis. Ik ben niet iemand die spijt heeft van dingen, maar niettemin kan ik wel mijn excuses aanbieden.'

'U zou hiervoor vervolgd kunnen worden.'

'Nou, doe dat dan! Klaag me maar aan!'

Louise realiseert zich dat ze hier beter niet op in kan gaan.

'Ik wil alleen weten of hij nog leeft.'

'We weten nog niet of hij het wel is.'

'Een mens moet geen dingen zeggen die hij niet meent.'

'Ik zeg u gewoon de waarheid.'

'Ik denk dat hij nog leeft.'

'Toen u mij sloeg, zei u dat dat was omdat ik de dode in vrede moest laten rusten.'

Irene geeft geen antwoord.

'U bent degene die hem als vermist hebt opgegeven', zegt Louise na een poosje.

'Dat had hij me gevraagd.'

Louise kijkt haar vragend aan.

'Hij had u dat gevráágd?'

'"Als ik niet op de afgesproken tijd kom, als ik meer dan twee dagen wegblijf, moet je naar de politie gaan." Dat zei hij.'

'Maar waarom? Was hij bang?'

'Nee, voorzover ik weet niet.'

'Hebt u dit aan de politie verteld?'

'Nee.'

'Dat zou u eigenlijk wel moeten doen.'

'Ik geef alleen antwoord op de vragen die ze me stellen, verder niets. Ze denken dat ik zoveel weet, maar ik weet niets. Ik bemoeide me nooit met Bengts zaken. Wanneer wij elkaar zagen, liet hij dat er allemaal buiten.'

'Wie stond hem het naast?'

'Hijzelf.'

'We weten dat een heleboel mensen die erbij betrokken waren, tijdens ons onderzoek nooit ontmaskerd werden. Maar ze moeten ergens zijn.'

'Ik was er nooit bij wanneer ze elkaar zagen. Dat was altijd heel erg geheim.'

'Hoezo "geheim"?'

'Ze gingen altijd een paar keer per jaar naar een van de eilanden. Bengt zei tegen mij dat het de enige keer was dat hij iedereen tegelijk om zich heen had. En dan ontsloeg hij altijd een van zijn directeuren. Iedereen wist wat er zou gebeuren. Wanneer Bengt hen bijeenriep, kreeg er iemand ontslag. Maar niemand wist wie.'

'Waar gingen ze dan naartoe?'

'Dat weet ik niet.'

'Wie weet dat wel?'

'Ik heb geen idee.'

'Ik ben in elk geval blij dat u de tijd hebt genomen om naar mij toe te komen.'

'Ik had u natuurlijk niet moeten slaan. Maar wat Bengt allemaal heeft moeten verdragen…'

'Wat gebeurde er dan?'

'De dag voordat hij verdween, was hij net als anders. We waren naar Kopenhagen gereden om uit eten te gaan. We keerden terug en de volgende ochtend verdween hij. Twee dagen later zouden we elkaar zien, maar hij is nooit meer teruggekomen.'

'U zult er wel veel over hebben nagedacht. U moet hebben gepiekerd. Wat denkt u nu?'

'Ik weet het niet. En dat is zowel een uitputtend als een eerlijk antwoord.'

Irene staat op. Ze heeft haar koffie niet aangeraakt en vertrekt zonder nog een woord te zeggen.

Louise werpt een blik op de lokale krant die op het tafeltje naast haar ligt en ziet een foto van de onthulling van de buste. Een groepsfoto. Louise staat resoluut op en verlaat de konditorei.

107

Het is avond en slechts één enkel raam van het Openbaar Ministerie is verlicht. Louise heeft Edvins foto's op een tafel in een vergaderkamer uitgespreid. Ze bestudeert ze. Af en toe maakt ze een aantekening.

108

Op een bosweg staat een auto met gedoofde lichten geparkeerd. Een man stapt uit en doet geruisloos het portier achter zich dicht. Vaag zijn de klanken van een windgong te horen. De man beweegt zich langs het pad en komt aan op het erf van Edvins huis. Dat is verlicht met een eenzame lamp boven de voordeur.

De man loopt naar het huis toe en kijkt voorzichtig door het keukenraam naar binnen. De verlichting boven het fornuis brandt. Er is niemand. De muren van de keuken hangen vol foto's, en ook de tafel, de stoelen en de vensterbanken liggen vol foto's. De man verplaatst zich naar het volgende raam. In Edvins slaapkamer brandt een lampje. Edvin ligt in zijn bed te slapen. De man loopt door, sluipt de stoep op, maar doet geen poging de deur te openen. Hij blokkeert hem juist met een ijzeren pijp, zodat de deur niet van binnen kan worden geopend. Hij trekt zich terug en verdwijnt met een jerrycan naar de achterkant van het huis.

109

Bij Edvins huis breekt de dageraad aan. Opeens is er rookontwikkeling vanaf verschillende plaatsen bij de hoeken van het huis.

Dan explodeert het vuur heftig. Binnen enkele minuten staat het hele huis in lichterlaaie.

IV

Pitcairn Island

Ochtend en een gestage regen. Edvins huis is bijna helemaal afgebrand. De brandweer is bezig met nablussen. Edvin heeft zich met enkele bezittingen in veiligheid weten te brengen. Overal op de natte grond liggen foto's. Hij loopt rond om ze op te rapen. Vanaf de bosrand observeren al zijn katten wat er gebeurt.

Louise en Henrik zijn in Henriks auto onderweg naar Edvin. Wanneer ze de ruïne zien, stoppen ze en stappen uit. Henrik knikt naar de brandweermannen en geeft de commandant een hand.

'Wat is er gebeurd?'

'Het is nog te vroeg om die vraag te beantwoorden, maar het was een hevige brand. Het vuur sloeg snel om zich heen.'

Louise loopt naar Edvin, die probeert zo veel mogelijk van zijn natte foto's te redden. Ze kijken elkaar aan. Edvin is geschokt.

'De katten hebben me wakker gemaakt. Een geluk dat er een paar binnen waren. Het vuur was overal.'

'Wat is er gebeurd?'

'Ik weet het niet.'

Edvin knikt in de richting van een oude caravan die een stuk bij het afgebrande huis vandaan op schragen staat.

'Ik red me daar wel mee. Voorlopig tenminste.'

'Daar kun je in de winter niet wonen.'

'Nee. Maar het is nog geen winter.'

Hij gaat verder met het oprapen van zijn natte foto's. Henrik loopt naar hem toe, geeft hem een hand en betuigt zijn deelneming. Edvin zegt weinig tegen Henrik en neemt een gereserveerde houding aan. Louise ziet dat, maar begrijpt het niet. Edvin heeft niet veel te melden. Henrik maakt een nerveuze en afwezige indruk.

'Misschien moesten we maar gaan...'

'Hij wil niet bij ons logeren. Hij zegt dat hij in die caravan gaat wonen.'

'Daar redt hij het niet wanneer het winter wordt.'

'Ik denk dat hij toch zijn eigen zin doet.'

Ze lopen naar Edvin toe.

'Als je iets nodig hebt, moet je het zeggen', zegt Henrik.

Edvin geeft geen antwoord. Demonstratief keert hij Henrik de rug toe om met Louise te praten.

'Je hebt goed geroeid... toen we de netten binnenhaalden. Maar die zijn ook verbrand.'

Edvin vist af en toe nog een foto van de grond. Henrik wordt ongeduldig.

'We moeten nu gaan.'

'Ga jij maar. Ik blijf nog even. Ik lift wel met iemand mee.'

Henrik vertrekt. Edvin kijkt hem na. Hij ziet Henrik in zijn auto stappen. Opeens wordt Edvins blik scherper en ook zijn aandacht verscherpt. Hij fronst zijn voorhoofd en herinnert zich de auto's die enkele dagen geleden over de bosweg reden. Eén daarvan leek precies op die van Henrik. Edvin verzinkt steeds meer in gedachten wanneer hij een foto bekijkt die hij in zijn handen houdt. Hij veegt het vuil weg dat bijna het hele oppervlak bedekt. Het is een foto van Bengt Ingemarsson met een groep gemeenteraadsleden. Op de achtergrond is Henrik ook te zien. Een aantal gezichten herkent Edvin van de zielloze foto's die altijd bij de gemeente-reportages in de lokale pers staan. Mats Hansson staat er ook op. Op de achtergrond van de foto, half verborgen, een bordje met een jaartal: 1991.

112

Het nabluswerk duurt nog voort. Af en toe daalt er een sneeuw-vlok neer. De winter kondigt zijn komst aan. Louise helpt Edvin met het schoonvegen van de foto's.

113

Een vaartuig van de kustwacht komt tussen de eilandjes door over zee aanvaren. De scherenkust is verlaten. Een enkele sneeuwvlok dwarrelt neer op het water.

In de stuurhut bevinden zich de bevelhebber en nog een man. Ze zijn bezig met een routineopdracht, de controle van de scheren-kust. Alles lijkt rustig. Ze varen langs een eiland met een boten-huis en een steiger waaraan een boot ligt afgemeerd, hetgeen uitzonderlijk is in deze tijd van het jaar. Ze brengen hun snelheid flink terug, omdat ze bang zijn dat er in het zomerhuis wordt ingebroken.

Een stukje bij de steiger vandaan ligt het vaartuig helemaal stil. De bevelhebber en zijn medewerker gaan aan dek.

'Van wie is dat huis? Ingemarsson heeft het verkocht. Dat weet ik nog. Maar aan wie?'

'Een of ander consultancybedrijf. Een BV...'

'Die bezitten godverdomme ook alles. Het lijkt wel of half Zweden uit rechtspersonen bestaat.'

'Binnenkort krijgen wij ook nog consultants op ons dak. Maar wat valt er hier voor hen te halen? Eén schip moet de kust vanaf hier tot aan Gotland in zijn eentje doen. Maar zulke huizen kunnen ze zich wel permitteren.'

Op hetzelfde moment krijgen ze Mats Hansson in de gaten, die de steiger op komt lopen. Hij wuift, en roept naar het schip: 'Is er iets aan de hand?'

'We wilden alleen maar controleren of alles in orde is.'

'Ik ben de boel aan het afsluiten voor de winter.'

De bevelhebber knikt. Alles lijkt in orde. Ze keren terug naar de stuurhut.

'Wat doet hij voor werk?'

'Daar kun je je beter niet mee bemoeien', zegt de bevelhebber. 'We gaan naar huis.'

Het douaneschip voert de snelheid op en wanneer het de steiger is gepasseerd, wordt het gas helemaal opengegooid. Mats Hansson kijkt toe. Hij steekt groetend zijn hand op en glimlacht.

114

Tornman bevindt zich samen met Edvin, Louise, de brandweercommandant en een technisch rechercheur op de plaats van de brand. Louise is nog steeds bezig om Edvin te helpen, maar ze luistert mee.

'Het vuur heeft enorm snel en hevig om zich heen gegrepen', zegt de brandweercommandant.

'Waar is het begonnen?'

'Het ziet ernaar uit dat het op verschillende plaatsen tegelijkertijd is uitgebroken.'

'Dan was het geen kortsluiting. Of een muis die aan een leiding heeft geknaagd.'

'Nee, waarschijnlijk niet.'

Edvin spreekt zich opeens zeer resoluut uit.

'Iemand heeft de brand aangestoken in de hoop dat ik eraan zou gaan.'

Zijn woorden slaan bij de anderen in als een bom.

'Waarom zou iemand u dood willen hebben?' vraagt Tornman.

'Dat weet ik niet. Maar toen ik uit het huis probeerde te komen, was de deur van buiten versperd.'

'Misschien is dat gekomen doordat er iets naar beneden is gevallen?'

Edvin gaat de ijzeren pijp halen om die te laten zien.

'Ik ben door het keukenraam naar buiten geklommen. Maar ik heb deze pijp bij de voordeur losgerukt zodat ik hem aan jullie kon laten zien. Dit ding versperde de deur, zodat ik die niet kon openen. En hij is niet uit zichzelf achter een plank van de stoep vastgeklonken. Dat hoef je mij niet proberen wijs te maken.'

Tornman geeft geen antwoord. Hij knikt alleen naar de technisch rechercheur dat hij de pijp moet meenemen.

'Bent u verzekerd?'

'Niet zodanig dat het genoeg is voor een nieuw huis…'

Tornman neemt de brandweercommandant apart.

'Wat denk jij? Kan het aangestoken zijn?'

'Je moet er toch niet aan denken dat iemand heeft geprobeerd Edvin om het leven te brengen. Maar de brand is op verschillende plaatsen tegelijk uitgebroken. Daar ben ik behoorlijk zeker van.'

'We moeten dit goed onderzoeken.'

Tornman glijdt uit in de modder en vloekt. Hij loopt naar zijn auto om een paar laarzen uit de kofferbak te halen. Edvin bekijkt Tornmans auto en denkt na. Hij realiseert zich dat hij ook deze auto eerder gezien heeft, op de bosweg. Maar hij kan, wil noch durft daaruit al conclusies te trekken. Louise ziet dat hij nerveus is.

'Voel je je niet lekker?'

'Nee, het is niets…'

115

Louise zit in een brandweerwagen die onderweg is naar de stad, ingeklemd tussen brandweermannen die onder het roet zitten en bezweet zijn. In het centrum springt ze uit de wagen en loopt naar de kapsalon van Kristina. Die is bezig met een klant, een grote dikke vrouw.

'Hallo. Heb je misschien een minuutje tijd?'

Kristina kijkt haar vragend aan, maar haar blik is ook nerveus en schuldbewust. Ze is op haar hoede. Ze verdwijnen naar een kamer achter de salon. Louise windt er geen doekjes om.

'Er is vannacht brand geweest bij Edvin. Hij was bijna dood geweest.'

'Maar dat is verschrikkelijk! Is hij gewond?'

'Nee. Maar hij verkeert natuurlijk wel in shock. Alles is verbrand. Zijn hele leven. De foto's. Alles.'

'Hoe is het gekomen?'

'Dat weten ze nog niet.'

'Waar moet hij nou wonen?'

'In de caravan.'

'Maar in de winter gaat dat toch niet?'

'Zeg dat maar tegen hem.'

'Ik moet nu weer terug. Anders wordt dat mens onder de droogkap gaar gestoomd.'

'Er is nog iets…'

Kristina is opnieuw op haar hoede.

'Kunnen we volgende week naar het huisje gaan? Ik heb op dit moment geen tijd.'

'Natuurlijk. Had je verder nog iets?'

Louise maakt snel een afweging of ze de puf heeft om de kwestie van hun moeders sieraden ter sprake te brengen, maar ze laat die rusten. Ze keren terug naar de salon.

Kristina is professioneel vriendelijk tegen de stomende dame onder de droogkap.

'Is het te warm voor u? Maar u komt er wel mooi uit te zien. U krijgt een mooi kapsel…'

Louise kijkt naar haar zus alsof ze van een andere planeet komt. Dan gaat ze weg.

116

Op het OM zitten Love en Louise in een vergaderkamer. De tafel ligt vol ordners en papieren. Love schudt gelaten zijn hoofd.

'Ik krijg de hoofdofficier hierin nooit mee. Dat jij al jouw tijd gaat besteden aan het opnieuw doornemen van het materiaal.'

'Je kunt het in elk geval proberen.'

'Ik kan niet tegen mijn eigen oordeel in gaan. Volgens mij is dit weggegooide tijd.'

'Ik heb geprobeerd uit te rekenen hoeveel geld Ingemarsson alleen al deze gemeente heeft afgetroggeld. Meer dan tachtig miljoen kronen. Die zijn in een groot gat verdwenen. Dát kun je weggegooid noemen!'

'Maar wat denk je nou eigenlijk te vinden?'

'Iets wat jullie over het hoofd hebben gezien. En ik denk dat ik al iets gevonden heb.'

Love kijkt op zijn horloge en staat op.

'Ik kan het binnen een minuut uitleggen', smeekt Louise. 'Die tijd heb je wel.'

Love schudt zijn hoofd, maar gaat toch weer zitten.

'Ik heb het materiaal doorgenomen van de zaak waarbij Ingemarsson definitief werd vrijgesproken. In het begin lijken jullie enorm optimistisch. Wanneer de zitting begint: "We zullen die klootzak pakken. We gaan Bengt Ingemarsson tot op het bot fileren." Maar tijdens de derde week van de rechtszitting gebeurt er iets. Dan begint alles te kantelen. Dan wordt het onduidelijk, valt er geen touw meer aan vast te knopen. In elke gecompliceerde strafzaak heb je dat punt. Wanneer of alles kantelt, of er progressie in blijft zitten. Wanneer de ontknoping nadert of je juist de weg kwijtraakt. Ik vind dat dit punt enorm duidelijk is. Maar het is niet alleen een punt. Het is ook een persoon. Een van al die mensen die op allerlei manieren ter sprake komen.'

'Mogensen…'

'Precies. Mogensen. De Deense accountant. Bengt Mogensen. Herinner jij je hem nog?'

'Ingemarsson had een stuk bos gekocht dat tegen de grens met Östergötland aan lag. Het bekende liedje. Valse voorspiegelingen over eigendomsoverdracht en het gebruik van de grond voor landbouw. Maar daarna kapte hij de hele handel en verkocht het hout. Dat werd naar Denemarken gebracht. En daar was Mogensen op de een of andere manier bij betrokken.'

'Wat herinner je je verder nog?'

'Natuurlijk vooral dat we die Mogensen nooit te pakken hebben gekregen.'

'Daarna duikt hij weer op. Keer op keer. Hij heeft geen gezicht. Niet eens een adres. En de puf gaat er bij jullie een beetje uit. Het wordt allemaal zo handig gespeeld dat Ingemarsson opeens uit het net begint te glijden. De bewijslast erodeert. Dat is het punt waarop het allemaal kantelde. Of niet?'

'Ga door...'

'De politie schakelt Interpol in om hem op te sporen wanneer de Denen hem niet weten te lokaliseren. Er was in heel dat veelbezongen land geen accountant te vinden met de naam Mogensen. Maar alsof de duvel ermee speelde, was hij wel degene die een hele hoop papieren getekend had waardoor geld tussen een dertigtal bv's en minstens evenveel banken heen en weer werd gesluisd. Caymaneilanden, Westers Bank in Londen. Luxemburg, Gibraltar. Enzovoort.'

'Het was vernederend. We konden hem niet vinden. Ik geloof dat we op het laatst meenden dat we hem in Venezuela op het spoor waren.'

'Tahiti. Maar hij was er niet.'

'Hij was net zo spoorloos als Ingemarsson een paar maanden later. Ik heb vaak gedacht dat ze ergens hadden afgesproken.'

Tijdens een korte stilte overpeinzen ze hun woorden.

'Wie leek de meeste contacten met hem te hebben gehad? Afgezien van Ingemarsson.'

'Raad eens!'

'Ik zou het niet weten.'

'Mats Hansson.'

Louise kijkt verbaasd op.

'Hij?'

'Hij en niemand anders.'

Love bladert in de ordners, vindt wat hij zoekt en schuift de opengeslagen klapper naar Louise.

'Mats Hansson. Zijn handtekening stond op geen enkel document, maar toch was hij er. Hij vervulde de representatieve verplichtingen, voerde de onderhandelingen, hij was Ingemarssons loopjongen. Wanneer alles klaar was kwam Ingemarsson zelf.'

'Een persoon die niemand ooit heeft gezien. En een andere die absoluut niet met wat dan ook in verband kan worden gebracht.'

'Niet erg veelbelovend...'

'Jij gaat dus met de hoofdofficier praten?'

'Maar ik kan je niet garanderen dat ik weet wat zijn reactie zal zijn. Als hij nee zegt, zet jij die ordners weer in de kelder. Oké?'

Love loopt naar een boekenkast en pakt een bijbel. Louise legt haar vingers op het omslag.

'Dat beloof en zweer ik...'

Love vertrekt. Louise gaat in haar eentje met het werk verder.

117

Op de plaats van de brand is Edvin met zijn caravan bezig. Er staat nog een kleine brandweerwagen. Het blussen is gedaan. De zaak moet nu nog wel in de gaten worden gehouden, omdat er een klein risico is dat het vuur weer zal opvlammen.

Er stopt een auto en Roland stapt uit. Hij heeft een koffer bij zich en loopt op Edvin af.

'Wat is dit klote, zeg. Ik heb wat kleren meegenomen.'

'Heb je geen drank?'

'Jawel, ook.'

'Dan gaan we hier toch niet over kleren staan praten?'

Roland geeft Edvin een zakflacon.

'Proost, op de ruïne.'

'Wat is er gebeurd?'

'Iemand heeft geprobeerd de crisis in de zorg in onze gemeente radicaal aan te pakken. Door mij te verbranden zou er in de toekomst een plek in een verzorgingstehuis vrijkomen.'

'Waarom zou iemand jou dood willen hebben?'

'Dat weet ik nog niet. Maar ik ben wel van plan dat uit te zoeken.'

Edvin is heel resoluut. Zo resoluut dat Roland hier verder geen vragen over stelt, maar hij vraagt zich natuurlijk wel af of Edvin gestoord is.

'Je kunt niet in die caravan wonen. Het regent in.'

'Voorlopig moet ik het er maar mee doen.'

'Dan ga ik je in elk geval helpen om het dak te repareren. Volgens mij krijgen we over een paar dagen sneeuw. Dat zit in de lucht.'

118

Henrik zit op zijn kantoor met de hoorn van de telefoon tegen zijn oor. Hij krijgt echter geen gehoor. Hij smijt de hoorn neer en roept zijn secretaresse Elin. Ze komt binnen.

'Ik ga niet naar die vergadering van de bouwcommissie.'

'Meen je dat echt?'

'De wereld vergaat niet als ik er niet bij ben.'

'Er zijn een heleboel mensen die willen weten of die nieuwe brandweerkazerne nou doorgaat of niet. Bovendien heb je daarna een afspraak. Er komen een paar jeugdwerkers.'

'Maak met hen maar een andere afspraak.'

Henrik is van achter zijn bureau opgestaan en trekt zijn jas aan.

'Waar kan ik je te pakken krijgen?'

'Nergens. Voor de verandering ben ik een keer niet te bereiken. Zelfs niet voor jou.'

Henrik vertrekt. Elin kijkt hem bezorgd na.

119

Henrik rijdt in razend tempo over een weg.

Tegelijkertijd meert Mats Hansson zijn boot af bij de kade in de haven. Hij loopt naar zijn auto en vertrekt.

Henrik rijdt plotseling van een parkeerplaats af waar hij heeft staan wachten, haalt Mats Hansson in en snijdt hem af. Beide auto's stoppen. Henrik stapt uit en rukt het portier van Hanssons auto aan de chauffeurskant open.

'Wat maak je me nou, godverdomme…?'

Henrik trekt Hansson uit de auto en sleept hem mee naar de kant van de weg, tot ze zich achter een stapel hout bevinden.

'Wat bezielt jou? Je bent niet goed snik…'

'Edvins huis. Dat is afgefikt. Edvin had wel dood kunnen zijn.'

'Daar weet ik niks van…'

'Is dat zo?'

'Ik heb sinds gisteren op het eiland gezeten. Ik heb getuigen.'

'Jij met je verdomde getuigen!'

'De kustwacht! Nou goed?'

Henrik realiseert zich dat Hansson de waarheid spreekt. Hij laat hem aarzelend los.

'Je flikt nu verder niks meer. Niks meer. Is dat duidelijk?'

'Dat hangt eerder van jou dan van mij af. Of niet soms? Jij bent met haar getrouwd. Ik niet.'

Henrik werpt Hansson een blik vol verachting maar ook angst toe en loopt weg zonder nog iets te zeggen. Mats Hansson is ontdaan.

120

Louise is alleen op kantoor. Tussen alle paperassen ligt een half opgegeten pizza. Ze kijkt op haar horloge, schrikt van de tijd en krijgt haast. Snel pakt ze haar papieren bij elkaar. Ze aarzelt even bij een ordner, maar legt die dan weg en pleegt een telefoontje.

'Zou ik Tornman kunnen spreken?... Wanneer komt hij dan terug?... Bedankt.'

121

Louise komt aan bij het verzorgingstehuis van haar moeder. Het lijkt alsof ze moed moet verzamelen om naar binnen te durven gaan. Op de gang praat ze met de directrice.

'Hoe gaat het met haar?'

'Mevrouw Mattsson was vandaag verdrietig. Maar dat is in het begin niet ongebruikelijk.'

'Is mijn zus hier ook geweest?'

'Volgens mij wel.'

'Dan was er nog iets wat ik u wilde vragen. Hoe zit het met kostbaarheden...?'

'Er is hier nog nooit iets verdwenen', onderbreekt de directrice haar resoluut.

'Dat dacht ik al.'

Louise loopt verder de gang in en klopt aan bij haar moeders kamer. Wanneer ze naar binnen gaat, ziet ze dat er niemand is en ze loopt verder de gang in. Eenzame mensen. Ze komt bij een huiskamer. Daar zit haar moeder alleen in een stoel geluidloos en verlaten te huilen. Louise blijft in de deuropening staan. Haar moeder ziet haar niet. Plotseling keert Louise zich om en ze gaat weg.

122

Op het gemeentehuis staat Elin aan een paar verontwaardigde jeugdwerkers uit te leggen dat Henrik er niet is.

'Helaas was de wethouder plotseling verhinderd.'

'Dan had hij toch wel de moeite kunnen nemen om ons dat te laten weten? Wat zijn dat voor manieren? Die bonzen denken ook dat ze alles maar kunnen maken...'

'Het spijt hem vreselijk. Maar het ging zo snel dat het niet meer lukte om u nog te pakken te krijgen.'

De onvrede is groot. Elin voelt zich in het nauw gedreven en weet niet hoe ze met de situatie moet omgaan. Dan komt Henrik ineens aanlopen. Ontspannen en zelfverzekerd.

'Het spijt me dat jullie hebben moeten wachten.'

Hij doet de deur van zijn grote werkkamer open.

'Kom binnen.'

Elin is verward en ontevreden. Henrik spreidt zijn armen in een verontschuldigend gebaar. Wanneer iedereen in de kamer is, keert hij zich snel naar haar om.

'Ik ben er nu toch... Of niet soms?'

Hij stapt de kamer binnen en doet de deur dicht.

123

Louise komt thuis. Ze is moe, apathisch en terneergeslagen. De hond springt op en kwispelt met zijn staart. Ze pakt een doos hondenvoer, maar die is leeg. De hond jankt. Louise pakt hem vrij onzacht beet en sluit hem op in de bijkeuken. Haar jas heeft ze op de grond gegooid. Ze loopt de woonkamer in en gaat starend naar het plafond met een deken over zich heen op de bank liggen.

Dan springt ze snel weer op om de jankende hond binnen te laten. Ze maakt een blik sardientjes open en een verpakking met exclusieve Franse worst en doet de inhoud in de voerbak. Ze glijdt uit over de vieze pootafdrukken van de hond op de vloer.

Vervolgens loopt ze rechtstreeks naar de drankkast. Ze neemt een paar slokken wodka uit de fles en laat die binnen handbereik staan. Daarna begint ze op een manische manier schoon te maken. Het gebeurt allemaal onsystematisch: afstoffen, opruimen, stofzuigen en dweilen.

Opeens breekt er iets bij haar. Ze zakt in elkaar en begint onbedaarlijk te huilen.

124

Het loopt tegen het eind van de middag. De laatste brandweerwagen rijdt bij het afgebrande huis weg. De puinhopen roken niet meer. Roland is bezig het dak van de caravan dicht te spijkeren. Edvin zit binnen op een krukje. Hij hoort de hamerende geluiden en is bezig met zijn gehavende foto's, in gedachten verzonken en nerveus. Hij probeert het te begrijpen. Of voor zichzelf toe te geven dat hij weet hoe de vork in de steel zit.

125

Mats Hansson staat in de schemering op een verlaten sportterrein. Hij gooit een van zijn handschoenen door een kapotte basketbalring. Hij pakt hem op en gooit opnieuw.

Uit de schaduw duikt Färnström op. Hansson kijkt hem aan en

vertrekt zijn gezicht. Ze voeren een kort gesprek en Hansson overhandigt Färnström een envelop.

126

In tandartspraktijk Hökberg is het avond en de laatste patiënt verlaat het pand. De assistente trekt haar jas aan, kijkt of het licht in de wc uit is en gaat weg. Alleen Hökberg zelf is er nog, een oudere, tamelijk magere man, die achter zijn bureau onder een felle lamp een paar patiëntenkaarten zit te bestuderen. Hij is nerveus en pakt de telefoon.

'Is inspecteur Tornman er ook..?'

Hij wacht.

'Hij is al weg? Oké, bedankt.'

Hij legt de hoorn neer, doet het licht uit en verlaat de praktijk.

127

Laat in de avond komt Henrik thuis. Hij hoort het geluid van de stofzuiger. De hond springt op. Wanneer Henrik de woonkamer binnenkomt, ziet hij Louise half op de bank liggen slapen, met flessen voor zich op tafel. Henrik zet de stofzuiger uit. Louise wordt niet wakker.

Op een tafel staat haar aktetas. Hij opent die voorzichtig, bladert door een paar plastic mappen en een ordner en doet de tas weer dicht.

Dan ziet hij een strip slaaptabletten op tafel. Er zijn een paar tabletten uit. Henrik trekt zijn jas uit. Hij gaat achter Louise liggen. Hij is bang.

Enkele dagen later is er duidelijk sprake van een weersomslag. De grond is bedekt met een dun laagje sneeuw en het is kouder geworden. Op het vasteland aan de kust, op een rotsheuvel met uitzicht over zee, staat een klein, heel eenvoudig zomerhuisje. Louise, Kristina en Roland komen aanlopen. Het is een winderige dag. Kristina doet de deur van het slot. De meubels zijn afgedekt. Het is allemaal heel eenvoudig ingericht en typerend voor de eerste zomerhuisjes van de Zweedse arbeidersklasse uit de jaren vijftig van de twintigste eeuw.

'Ik wou dat we het konden houden', zegt Louise.

'Niets verhindert je het over te nemen.'

'Dat kunnen we ons niet permitteren.'

'Maak dat de kat wijs.'

'Waarom denk je toch dat wij zoveel geld hebben?'

Kristina geeft geen antwoord op haar vraag.

'Ik heb er geen behoefte aan het te houden', zegt ze in plaats daarvan.

'Maar we waren hier toch elke zomer toen we klein waren?'

'Ook al zijn het herinneringen uit je kindertijd, daarom hoeven ze nog niet altijd mooi te zijn.'

Roland slaakt een diepe zucht. Hij heeft deze botsingen tussen de zussen vaker meegemaakt.

'Ik wil dat gekakel niet horen! Ik wacht buiten wel.'

Louise bekijkt een foto die aan de muur hangt. Het is een afbeelding van hun vader, Karl-Olov, tijdens de bouw van het huis. Het is feest, omdat het geraamte van het dak klaar is. Karl-Olov staat samen met een paar collega's op de foto, een biertje in de hand. Glimlachende gezichten. Louise pakt de foto van de muur en kijkt vragend naar Kristina.

'Ik hoef hem niet.'

'Wat doen we met de meubels?'

'Roland kan het huis wel leeghalen. Neem maar wat je wilt. De rest gooien we wel weg.'

Louise staat door het raam te kijken naar Roland, die buiten in de wind en de sneeuw staat. Dan wendt ze zich tot Kristina.

'Heb jij mama's sieraden gepakt?'

Kristina geeft snel en resoluut antwoord.

'Ja, en ik heb ze verkocht.'

'Dat kun je toch niet maken?'

'O nee? Ik heb de helft voor jou laten liggen. Meer dan de helft. En ik wist welke je wilde hebben.'

'Maar waarom heb je niets gezegd? Wat gebeurt er als ze ze mist?'

'Mama bestaat niet meer. Ze is weg. Het gebeurt wel eens dat ze ons nog herkent, maar dat wordt steeds minder. Soms denkt ze dat Roland pa is. En dat ik jou ben, en jij haar moeder die vijftig jaar geleden is overleden. En Emma is haar zus.'

'Maar je had toch wel iets kunnen zeggen? Waarom heb je ze verkocht?'

'Omdat we geld nodig hebben om de rekeningen te betalen. Omdat Roland geen werk heeft. Maar zulke problemen snap jij toch niet. Er zit een hypotheek op mijn kapsalon. Wat gebeurt er als ik die niet kan betalen? Wat gebeurt er dan? Je moet één ding goed begrijpen: het geld van mama's sieraden komt verdomd goed van pas. En dat is met het geld voor dit huis ook zo.'

'Als het niet te veel geld was, had je het ook van ons kunnen lenen.'

'Dat zou ik nooit doen. Dat weet je. Ik snij me nog liever de keel door.'

Louise is verbijsterd over de heftige manier waarop Kristina zich uitdrukt.

'Had je verder nog wat?'

'Weet Roland van die sieraden?'

'Laat hem hier alsjeblieft buiten. Kunnen we nu gaan?'

'Ik dacht dat we zouden bekijken wat hier staat, om het te verdelen.'

'Dat hebben we al gedaan. Jij neemt wat je hebben wilt. De rest brengt Roland weg. Dan kan de makelaar het huis verkopen.'

'Je weet dat het huis onderpand is voor een lening?'

Kristina verstijft.

'Hoezo onderpand?'

'Er zit een hypotheek op.'

'Maar ze hadden toch geen schulden?'

Even is er een moment van verwarring. Wat de een denkt, komt niet overeen met wat de ander weet.

'Ik dacht dat ze jullie geld hadden geleend toen jullie je huis kochten?' vraagt Louise voorzichtig.

Kristina is ten prooi aan een hevige, bijna niet te beteugelen razernij. Ze rukt het raam zo hard open dat er een vaas in stukken op de grond valt. Dan roept ze met luide stem Roland. Terwijl ze wachten, kijken de zussen elkaar aan. Van Kristina's kant is dat met openlijke vijandigheid, Louise is onzekerder. Roland komt binnen.

'Hebben wij van pa en ma geld geleend toen we ons huis kochten?'

'Geen öre.'

'Hoor je dat?'

'Dan heb ik me vergist. Maar dat dacht ik. Waarom zouden ze anders een hypotheek hebben genomen?'

'Dus er zit een hypotheek op dit rothuis. Hoeveel?'

'Tweehonderdvijftigduizend kronen.'

'Maar wie zorgde dan voor de aflossingen?'

'Mama.'

'En daar heeft ze nooit wat over gezegd?'

'Waarschijnlijk kunnen we driehonderdduizend voor het huis krijgen. Min tweehonderdvijftigduizend. Dat wordt vijfentwintigduizend per gezin', rekent Roland uit.

'Maar er moet toch ergens geld zijn?' zegt Kristina.

'Mama heeft een spaarbankboekje waar zeventienduizend kronen op staat. Andere bezittingen zijn er niet.'

'Maar wat moest pa met tweehonderdvijftigduizend kronen? Hij reed altijd in oude auto's. Kocht nooit een nieuw pak.'

'Dan zal het wel waar zijn', zegt Roland met zachte stem.

'Er is helemaal niets van waar! Wat is er waar?' snauwt Kristina.

'Dat hij zijn geld in Ingemarsson heeft gestoken, net als iedereen. En het is kwijtgeraakt, net als iedereen.'

Louise staart hem aan. Dit is nieuw voor haar.

129

Ze klauteren de rotsen af. Kristina voorop, snel en opgewonden. Roland komt achter haar aan. Op grote afstand volgt Louise.

130

Louise zit in haar auto. Ze probeert Tornman telefonisch te bereiken. Dan legt ze haar telefoon weg en gaat harder rijden.

131

Louise vindt met enige moeite het pas geopende restaurant dat onderdeel uitmaakt van een fastfoodketen. Ze parkeert en stapt uit.

Wanneer ze het overvolle etablissement binnenkomt, kijkt ze rond. Ze ziet Tornman zitten met een paar kinderen om zich heen. Ballonnen, lawaai. Tornman heeft een rode feestneus op. Louise stapt op hem af. Hij is verbouwereerd en steekt niet onder stoelen of banken dat hij er helemaal geen behoefte aan heeft haar in deze situatie te ontmoeten.

'Ik heb naar het bureau gebeld. Ze zeiden dat je hier zat.'

'Het kon dus niet wachten? Dit zijn mijn kleinkinderen, die ik veel te weinig zie. Hij hier, Jocke, is jarig en wilde het hier vieren.'

Louise gaat zitten.

'Ik heb weten te achterhalen dat Ingemarsson als kind een tandarts had', zegt Tornman. 'In Norrköping.'

'Heb je hem gesproken?'

Tornman raadpleegt zijn aantekeningen. Dan beseft hij dat hij zijn feestneus nog op heeft. Hij laat hem zitten.

'Ik heb er geen last van. Van die neus, dan', zegt Louise.

'Ik ook niet.'

'Heb je met hem gepraat? Met die tandarts in Norrköping?'

'Als hij nog geleefd had, was hij nu honderdnegen geweest.'

'Wie heeft de praktijk overgenomen?'

'Allerlei mensen. En de vraag is of er überhaupt nog patiëntendossiers zijn. Ingemarsson was destijds een jaar of tien, elf.'

'Maar later dan? Hij heeft de Handelshogeschool in Stockholm bezocht.'

'Het is algemeen bekend dat Bengt Ingemarsson een mooie glimlach had.'

'Wat bedoel je?'

'Dat hij een mooi gebit had. Dat hij misschien geen tandarts nodig had. Dat bevestigt Hökberg. Ingemarsson had last van tandsteen, maar verder bijna nergens van.'

'Godverdomme.'

Een van de kleinkinderen kijkt haar verontwaardigd aan.

'Sorry…'

'Het zou aanzienlijk gemakkelijker zijn geweest als hij een slecht gebit had gehad…'

'Dus dan is dit een doodlopend spoor.'

'Hij kan natuurlijk een tandarts in Stockholm hebben gehad. We hoeven het nog niet helemaal op te geven…'

'Nee. Had Ingemarsson trouwens een zomerhuisje aan de scherenkust?'

'Hij had er diverse. Maar die deed hij allemaal net zo snel van de hand als dat hij ze kocht.'

'Ik ben nog steeds geïnteresseerd in die bv, Hökberg Trading.'

'Denk je echt dat Hökberg op de een of andere manier heeft gefoezeld?'

'Ik denk niks. Ik wil het zeker weten.'

Ze maakt zich op om weg te gaan, maar er is nog één ding.

'Die brand van Edvins huis?'

'Het kost tijd om de oorzaak van een brand te achterhalen.'

'Heb jij er een mening over?'

'Nee. Maar wie zou er nou een oude kerel door brand om het leven willen brengen? Zonder poging tot beroving?'

Tornman zet een gek petje op en geeft daarmee aan dat het gesprek ten einde is.

132

Louise snelt door de gang van het OM. Onderweg bekijkt ze briefjes over telefoontjes die zijn binnengekomen en doet ze haar jas uit. Ze trekt de deur van de vergaderkamer open. Love en een paar collega's zitten daar te wachten.

'Sorry dat ik zo laat ben.'

'Mevrouw Rehnström is altijd welkom…'

133

Het overleg is afgelopen. Louise staat op het punt de kamer te verlaten, maar Love vraagt of ze nog even wil blijven en sluit de deur.

'Heb jij met Tornman gesproken?' vraagt hij dan.

'Waarover?'

'Ik heb Tornman gebeld omdat de hoofdofficier me dat ge-vraagd heeft.'

'En?'

'Hij heeft een besluit genomen.'

'Positief?'

'Negatief. Geen gegraaf in de ruïnes van Ingemarsson. Als hij dood is, moet er een verdenking van een misdrijf zijn, anders mogen we de graafmachines niet starten.'

'Hij leeft. Punt uit.'

'Als hij leeft, moeten er krachtige, nieuwe en zwaarwegende redenen zijn om het vooronderzoek te heropenen.'

'Hoe kan ik redenen vinden als ik het materiaal niet mag doornemen? Dat is toch gewoon waanzin…'

'Het deksel gaat erop, Louise. Zo zijn de regels.'

'En als ik weiger?'

'Dat kun je niet. Dat is plichtsverzuim. Dan is je carrière ten dode opgeschreven.'

'Wat heb je tegen hem gezegd?'

'Ik heb meer gezegd dan ik eigenlijk had moeten doen. Al vind ik dat je ongelijk hebt, ik ben niet zo dom dat ik me niet realiseer dat je ook gelijk hebt.'

'Het is klote dat we nooit helderheid in de zaak-Ingemarsson hebben weten te brengen. Het is klote dat zo'n figuur als hij weet te ontglippen. Ik ga zelf met de hoofdofficier praten.'

'Dat helpt niet.'

'Dan schrijf ik een brief aan de procureur-generaal.'

'Wat denk je dat dat zal uithalen? Hij verwijst het toch alleen maar terug. En dan barst de hel hier pas goed los.'

Louise veegt een paar ordners die op tafel liggen aan de kant.

'Wat heeft het dan allemaal voor zin? Dan geeft de rechtsstaat het toch op? Die geeft zich gewonnen. En de democratie ook… en het rechtswezen… Dan nemen foute krachten het over. En wij steken keer op keer onze tijd en energie in het tot een paar maanden gevangenisstraf veroordelen van hun belachelijke onder-knuppels.'

Ze voelt zich enorm ontmoedigd en verlaat zonder nog een woord te zeggen de kamer. Love blijft zitten. Hij is zichtbaar aangeslagen. Nijdig en moe staat hij op.

134

Louise zit met een fles in de hand op haar kamer wanneer er wordt geklopt en Love binnenkomt. Ze weet het flesje nog net op tijd weg te bergen, maar hij heeft haar wel door.

'Je hoeft me niet te troosten.'

'Wie heeft het over troosten? Heb ik het over troosten?'

'Oké, oké…'

'Misschien is er nog een andere mogelijkheid…'

'Welke dan?'

'We leggen het deksel erop. Maar we tillen het ook weer voorzichtig op. Zonder dat iemand het merkt…'

Louise kijkt hem wantrouwend aan. Meent hij het serieus dat ze in het geheim met het onderzoek zullen doorgaan?

'Morgenavond moet ik Madeleine naar paardrijles brengen en weer ophalen. In de tussentijd kunnen we elkaar wel even zien. Maar het kan ook een hele avond worden, want ze wil het paard altijd nog roskammen en vertroetelen. Als je dat een goed idee vindt.'

'Waarom doe je dit?'

'Dat vraag ik me ook af.'

'Je weet toch zelf wel waarom?'

'In Amerika wordt een strafzaak beschreven als *"The people versus…"* en dan volgt de naam van de verdachte. *"The people versus…"* Ik heb altijd gevonden dat het inderdaad zo zou moeten zijn. Dat wij in de aanval gaan tegen degenen die ons aanvallen. Degenen die een aanval doen op wat wij de maatschappij noemen. In feite denk ik er net zo over als jij. Dat was ik bijna vergeten, totdat jij me eraan herinnerde.'

Louise knikt. Ze begrijpt het.

'Ik heb zin om een biertje te gaan pakken. Jij ook?'

'Ik heb zin om me een flink stuk in de kraag te drinken, maar dat kan niet. Ik moet nog rijden. En ik moet naar huis.'

Hij kijkt haar aan, maar zegt verder niets meer. In de deuropening draait hij zich om.

'Vergeet niet dat je morgen een zitting hebt.'

'Färnström... Ik weet het...'

Love gaat weg.

135

Op de plek van de brand ligt sneeuw en er zijn sporen van katten. Edvin zit in zijn caravan. Op het tafeltje voor zich heeft hij een aantal foto's uitgespreid. Met een rode stift omcirkelt hij de gezichten die steeds weer op de foto's opduiken: Bengt Ingemarsson, Mats Hansson. Ten slotte omcirkelt hij ook Henriks gezicht.

136

Het is avond in een huis in een villawijk. Tandarts Hökberg zit op de bank. Naast hem zit zijn vrouw televisie te kijken. Hökberg is echter helemaal verdiept in wat er in de krant staat over Bengt Ingemarsson. Hij maakt een erg bezorgde indruk. Zijn vrouw kijkt hem aan, maar zegt niets. Ze zucht slechts.

137

Louise komt laat thuis. Ze roept Henriks naam, maar er komt geen reactie. Opeens wordt ze bang; ze heeft het gevoel dat er iemand in huis is. Ze rent de tuin in, recht op Henrik af, die net aankomt.

'Wat is er?'

'Niets. Ik dacht alleen dat er iemand binnen was.'

'Waarom dacht je dat?'

'Ik werd gewoon angstig. Het is niets.'

Ze lopen naar binnen.

'Er is hier niemand.'

'Ik zei toch dat ik het me inbeeldde. Verdomme!'

'Waarom kom je zo laat thuis?'

'Niet later dan jij.'

'Geef me gewoon antwoord!'

'Er was een hoop papierwerk blijven liggen. Verder niets. Ik moet morgen naar de rechtbank. Vergeet niet dat we om één uur bij de dokter moeten zijn.'

'Dacht je nou echt dat ik dat zou vergeten?'

'Nee.'

'Ik heb een vergadering, maar die sla ik wel over.'

'Wat zou er gebeuren als het een vergadering was die je niet kon overslaan?'

'Dan sloeg ik die toch over. Hoe gaat het met Ingemarsson?'

'Hij lag in elk geval niet op die rots. Hij leeft nog. Daar ben ik van overtuigd. Maar het lukt ons niet om de bewijsvoering rond te krijgen.'

'Mooi zo. Dan kunnen we op vakantie.'

'Jij hebt toch helemaal geen tijd om vrij te nemen?'

Ze zijn in de woonkamer gekomen. Op een tafel staat een pas gekochte globe.

'Verrassing.'

'Nou, inderdaad…'

'Ik had zo gedacht dat we echt ver weg zouden gaan.'

'Meen je dat serieus?'

'Absoluut.'

Louise draait de globe rond. Ze zoekt in de Stille Zuidzee.

'Tahiti…'

'Bijvoorbeeld.'

Louise zoekt het kleine puntje dat Pitcairn Island heet. Ze staart met toegeknepen ogen naar de globe. Henrik vraagt zich af wat ze zoekt, maar hij zegt niets. In plaats daarvan strijkt hij haar over haar haren.

'Ik heb medelijden met je.'

'Waarom?'

'Omdat je het niet allemaal boven water hebt gekregen. Wat de vorige keer ook niet lukte.'

'Love en ik gaan het toch proberen, ook al moet dat in het geheim.'

Henrik kijkt haar niet-begrijpend aan.

'Ik zal het uitleggen. Als je tijd hebt om te luisteren.'

'Hoe zou ik je anders kunnen helpen? Als ik niet weet wat er gaande is?'

138

Laat in de nacht is Louise klaar met vertellen. Ze zitten op de bank. De globe is verlicht.

'Neem je geen risico?' vraagt Henrik.

'In dat geval neemt Love een even groot risico.'

'Kun je echt in het geheim onderzoek doen?'

'Er vallen nauwelijks echt nieuwe vragen te stellen, maar je kunt wel de oude antwoorden doornemen en bekijken of er iets over het hoofd is gezien.'

'Wie hopen jullie eigenlijk voor de rechter te brengen? Bengt Ingemarsson is misschien niet dood, maar hij is definitief verdwenen.'

'Van mensen die zich aan economische delicten schuldig maken, weet je één ding: ze opereren niet alleen. Nooit. Er zijn altijd anderen. We zouden bijvoorbeeld ontzettend graag een Deense accountant met de naam Mogensen te pakken willen krijgen...'

Henrik schrikt, maar Louise ziet dat niet.

'Wie is dat?'

'Een man die de boel rond Bengt Ingemarsson blijkbaar schoonhield. En die daarna net zo spoorloos is verdwenen als hij.'

'Misschien lag zijn hoofd daar wel op dat rotseiland.'

Die gedachte was nog niet bij Louise opgekomen. Ze blijft een ogenblik zwijgend zitten.

'Dat zal ik tegen Tornman zeggen. De vraag is alleen hoe je aan de patiëntenkaart van een spook komt.'

'Dat soort lieden weet hoe je je sporen moet uitwissen. Maar ik zal je natuurlijk zo veel mogelijk steunen.'

'Dat zal ik nodig hebben. Meer dan ooit.'

139

Henrik is boven in de badkamer, poetst zijn tanden en maakt zich klaar voor de nacht. Louise is nog beneden.

'Het is al één uur geweest', roept hij.

'Ik kom eraan.'

Louise bladert enkele paperassen door. Ze hebben betrekking op een hypotheek die haar vader op het zomerhuisje heeft afgesloten. Ze dateren uit 1991. Ze slaat de hypotheekakte op. Daarin staat dat de lening bedoeld is voor 'de reparatie en de uitbouw van een zomerhuis'. Louise fronst haar voorhoofd.

140

Nadat hij zich ervan heeft vergewist dat Louise slaapt, staat Henrik op en gaat de trap af. Hij buigt zich bij de globe voorover en zoekt het stipje in de buurt van Tahiti waar Louise eerder die avond naar heeft gezocht. Hij ziet dat het Pitcairn Island is. Zijn gezicht wordt grimmig.

141

De volgende dag stapt Louise een bankkantoor in de stad binnen. Ze gaat aan een van de bureaus zitten, waar een employee van haar eigen leeftijd op haar wacht.

'Wat je al niet doet voor een oude schoolkameraad.'

'Je bent in elk geval niets veranderd.'

'Nee. Helaas.'

'Ik weet nog dat je tolk wilde worden.'

'Het komt heel weinig voor dat het gaat zoals je je dat had voorgesteld. Ik werd zwanger. En toen kwam ik bij de bank terecht.'

Het gesprek bloedt dood.

'Ik heb hier de papieren. En ik heb met hoofdboekhouder Ekrot gesproken; die heeft destijds zijn goedkeuring aan de lening gegeven. Hij is nu met pensioen, maar ik heb hem gebeld. Hij heeft een geweldig geheugen. Je vader kwam een lening vragen om zijn zomerhuisje te verbouwen, en die lening kreeg hij ook. Er is tienduizend kronen op afbetaald. Op dit moment is het restbedrag tweehonderdeenenveertigduizend kronen en zeshonderdzesenzestig öre.'

'Maar hij heeft het huis nooit verbouwd. En hij heeft het ook niet gerestaureerd. Althans, niet voor zoveel geld.'

'Wij controleren natuurlijk niet waarvoor het geld daadwerkelijk gebruikt wordt.'

Louise denkt na.

'Kun je ook zien of hij aandelen had?'

De bankvrouw begint gegevens in haar computer in te toetsen.

'We kunnen dat wel even in het bestand van het Centraal

Aandelenregister nakijken... Jawel... Hier staat het...'

Ze maakt een print en loopt naar een andere tafel om die uit de printer te halen.

'In 1987 heeft jouw vader aandelen ter waarde van tweehonderdvijftigduizend kronen gekocht in een niet aan de beurs genoteerde onderneming, een holdingmaatschappij met de naam Herkules.'

'Herkules was toch een van Bengt Ingemarssons BV's?'

'Een van de snelst stijgende fondsen in de jaren tachtig. Het begon met onroerend goed in Zweden en in het buitenland. Kantoorgebouwen in Londen, meen ik. En verder in Hamburg en Taiwan. Daarna groeide het. De aandelenkoersen schoten de lucht in. Maar omdat het allemaal op een overgewaardeerde vastgoedmarkt en op leningen was gebaseerd, spatte de zeepbel ten slotte uit elkaar. Op hun hoogste punt hadden de aandelen een waarde van honderdtachtig kronen. Nu staan ze op twaalf. Maar het bedrijf is in elk geval niet failliet gegaan.'

'Kun je ook zien wat die aandelen kostten toen mijn vader ze kocht?'

'Nee. Maar in 1991 moeten ze redelijk in de buurt hebben gezeten van hun hoogste waarde. Ik kan wel zien wanneer hij ze verkocht. Toen stonden ze op zestien kronen.'

'Dus hij is bijna alles kwijtgeraakt? En dat was met geleend geld, dat hij moest terugbetalen.'

'Zo ging dat destijds. Het was allemaal geleend. De bank heeft er een enorm verlies op geleden.'

'Hoe ging dat eigenlijk in zijn werk wanneer Ingemarsson zakendeed?'

'Ik ben er niet echt de juiste persoon voor om die vraag te beantwoorden, maar er is iemand die dat wel weet.'

'Wie dan?'

'Een treinmachinist. Stig Nilsson.'

'Wie is dat? En waarom weet hij dit?'

'Hij is ontzettend handig met aandelen. En ik heb gehoord dat het een hobby van hem was om te bestuderen hoe Ingemarsson zakendeed.'

Ze schrijft de naam en een telefoonnummer op.

'Ga met hem praten. Hij kan je meer vertellen.'

Louise pakt het briefje en leest wat erop staat. Dan loopt ze langzaam de bank uit.

142

In de cabine van een goederentrein die het station nadert, zit machinist Stig Nilsson, een man van in de vijftig. De trein remt af en stopt op het station. Stig Nilsson maakt zich op voor het einde van zijn dienst. Hij pakt zijn ouderwetse broodtrommeltje en een paar kranten en tijdschriften, onder andere de *Financial Times* en *Business Week*, en klimt uit de trein.

Louise staat hem op te wachten. Ze geven elkaar een hand en lopen weg.

143

Ze komen in de personeelskantine van het station.

'Ik dacht dat we hier wel konden gaan zitten.'

'Dat is prima.'

Ze nemen plaats. Stig Nilsson pakt zijn thermosfles.

'Volgens mij zit hier nog wel een kopje voor ons allebei in.'

Louise knikt en hij schenkt in.

'Wat wilde u weten?'

'Bengt Ingemarsson.'

'Er is iets wat me verontrust. Wat me zorgen baart. Zoals wanneer je op de trein zit en opeens het gevoel krijgt dat er een door de hitte vervormde spoorstaaf zal opduiken. Wanneer je zo'n zware trein hebt dat het verrekte veel tijd kost om te remmen. Iets maakt dat ik me afvraag waarom een officier van justitie bij mij vragen komt stellen.'

'Het is de kunst om de juiste personen te vinden om je vragen aan te stellen. Volgens mij bent u zo iemand.'

'Bengt Ingemarsson was nooit een goede treinmachinist geworden', barst Nilsson plotseling uit.

'Waarom niet?'

'Omdat je je aan de regels moet houden. Anders niets. Nooit improviseren. Nooit een onverwachte mogelijkheid uitproberen. Nooit je geduld verliezen.'

'Zo was hij dus niet?'

'En dat was misschien ook maar een geluk. Voor hem. Maar pech voor de rest. Of voor degenen die zijn aandelen kochten en zijn beloftes voor zoete koek slikten.'

'Hebt u ook aandelen gekocht?'

'Van z'n leven niet.'

'Waarom niet?'

'Omdat ik er helemaal niet in geloofde.'

'Anderen deden dat wel.'

'Bengt Ingemarsson wist hoe hij zijn hengels moest uitwerpen. Mensen zijn op geld belust. Dat is één ding. Het tweede is dat het allemaal snel moet gaan. En dat beloofde hij allebei. Snel je slag slaan. Hier zat verdorie nog eens tempo in. En hij deed het knap. Geweldige presentaties met halve waarheden. En halve waarheden worden meestal geleidelijk tot hele leugens aan elkaar gebreid. Op een dag realiseerde hij zich dat wat hij de hele tijd al had gevreesd, was uitgekomen.'

'Wat dan?'

'Hij had zichzelf klemgezet. Maar hij had een achterdeur. Daar wist hij door te ontsnappen.'

'Wat vindt u daarvan?'

'Hij was een schurk. Maar wel eentje met talent, dat moet gezegd.'

'Hebt u wel eens gehoord van een onderneming met de naam Hökberg Trading?'

'Nee. Nooit.'

144

Ze lopen over het perron. Een hogesnelheidstrein suist voorbij.

'Die dingen gaan te snel voor mij. Maar Bengt Ingemarsson had er vast van gehouden. Hoewel hij altijd wel het vliegtuig zal hebben genomen, want dat ging natuurlijk het snelst.'

'Hoe ging hij eigenlijk te werk?'

'Het was vanaf het begin oplichterij. Hij was absoluut niet van plan iets te doen voor deze streek of voor iemand anders. Hij was op geld uit. Hij verdiepte zich in de regels en ging op zoek naar de mazen. En daar maakte hij volmaakt gewetenloos gebruik van. En volmaakt overtuigend. Het is helemaal niet verwonderlijk dat jullie hem nooit hebben kunnen pakken.'

'Waarom is ons dat niet gelukt?'

'Omdat jullie amateurs zijn. Net als ik. Maar anders dan ik hebben jullie ontzettend slechte treinen.'

'Wat bedoelt u?'

'De wetten. Dat zijn toch jullie treinen? En die zijn verschrikkelijk. Elke kleine handelaar die zich in de basisbeginselen verdiept, kan in principe hetzelfde doen als Ingemarsson. Een paar geslepen accountants die op het juiste moment de andere kant op kijken. En daarna moet je snel handelen, zodat de mensen het niet meer kunnen volgen. En ten slotte zet je jezelf klem en verdwijn je stiekem door een achterdeur.'

Hij kijkt op zijn horloge. Het gesprek is afgelopen en ze lopen naar een ander perron.

'Eigenlijk komt er nog één ding bij. Je moet in feite een beetje scheel zijn om lieden als Ingemarsson te pakken.'

'Scheel?'

'Zodat je ook een beetje ziet wat er om hem heen gebeurde. Hij omringde zich met machtige vrienden. Die worden makkelijk over het hoofd gezien.'

Stig Nilsson klautert een treincabine in en doet het raampje open.

'Wat zou u doen als u mij was?' vraagt Louise.

'Van baan veranderen.'

'Afgezien daarvan.'

'Eisen dat de wetten die de financiële markt regelen worden aangescherpt. Maar verder zou ik waarschijnlijk sterke zoeklichten op de coulissen richten, waar de grote acteurs hurken. Om ze in de schijnwerpers te zetten.'

Stig Nilsson krijgt een oproep via de radio. Hij geeft antwoord.

'Ik moet nu vertrekken.'

'Bedankt voor uw tijd.'

Stig Nilsson knikt.

De trein zet zich in beweging. Louise kijkt hem na.

145

In het medisch centrum zit Henrik ongeduldig op Louise te wachten. Ze is al te laat. Dan komt ze binnenrennen. Ze lopen de kamer van de dokter in.

'Ik zou willen voorstellen dat u, meneer Rehnström, een spermamonster inlevert', zegt de vrouwelijke arts. 'Dan kunnen we uitsluiten of er bij u iets fout zit.'

'Er zit bij mij niets fout.'

'Gewoon voor de zekerheid. Anders niet.'

'Hoe doe je dat? Een spermamonster inleveren? Hebt u een goed voorstel?'

'We zullen er een avond voor moeten uittrekken', stelt Louise voor.

Ze staan buiten.

'Ik heb vanavond toevallig vrij. Geen afspraken. Niets', zegt Henrik.

'Ik moet werken. Helaas.'

'Vroeg of laat moeten we toch een keer een normaal leven gaan leiden. Anders wordt dit helemaal niets.'

'Ik weet het. Maar ik maak het niet laat.'

'Zeker weten?'

'Ja. Zeker weten.'

Ze gaan uiteen.

Een late avond op het OM. Papieren bekertjes, hemdsmouwen, computers en ordners. Love gooit zuchtend zijn pen neer.

'Dit is verdomme onuitstaanbaar. Elke leidraad verdwijnt gewoon in het heelal. Geen wonder dat we hem niet te pakken konden krijgen.'

'Omdat jullie Mogensen niet te pakken konden krijgen.'

'Soms vraag ik me af of die überhaupt wel bestaat.'

'Dat is in elk geval een nieuw uitgangspunt. Waar brengt ons dat?'

'Aan de rand van het sterrenbeeld Orion.'

'Misschien zijn het gewoon allemaal valse accountantsverklaringen? Net zo vals als de prospectussen? Halve waarheden die tot hele leugens aan elkaar worden gebreid.'

'Er is maar één manier om een bres te slaan.'

'Iemand vinden die gaat praten.'

'Maar zo iemand is er niet.'

'Die moet er zijn.'

Louise graait tussen de papieren en trekt een lange computer-uitdraai met namen tevoorschijn.

'Er komen in de rechtszaken tweehonderdzevenendertig personen voor.'

'Je wilt toch niet zeggen dat je die geteld hebt?'

'Dat heb ik inderdaad gedaan! En ergens moet er iemand zijn die bereid is om te praten.'

'Snap je wel wat voor titanenarbeid dit wordt?'

'Als jij het niet kunt opbrengen, doe ik het zelf wel.'

'Nu?'

'Ja. Nu.'

Love staat op.

'Ik moet eerst even naar huis bellen. Om te zeggen... Tja? Wat moet ik verdomme zeggen?'

Hij loopt weg.

148

Laat in de nacht. Er hangt een landerige, vermoeide sfeer. Louise somt namen op. Love ligt op een bank.

'Stefan Edbom?'

'Onbelangrijk. Marketingdirecteur van een van Ingemarssons bv's, is eigenlijk nooit echt interessant geweest...'

'Ladislaus Stretsch?'

'Staan ze niet eens op alfabet? Nee, die niet.'

'Lars-Erik Hartmansson?'

Love schudt zijn hoofd.

'Göran Rydell?'

'Misschien...'

Hij staat moeizaam op van de bank en begint in een ordner te zoeken.

'Hij was een van degenen die gingen over Ingemarssons lege bv's. Al eerder veroordeeld en voor hem gold een bedrijfsverbod.

Hij zocht naar geschikte objecten… Nee… Hem herinner ik me nog wel. Die is zo stom dat hij zich nooit in de binnenste kringen kan hebben bewogen.'

'Kenneth Bruse.'

'Nee.'

'Dat was nummer honderd.'

'Dan geven we het op. Ik trek het niet meer.'

'Morgenavond dan?'

Love knikt onwillig. Hij pakt zijn colbert, geeuwt en vertrekt.

149

Louise is alleen op kantoor. Ze pakt haar ordners en papieren bij elkaar en brengt alles naar haar kamer. Ze sluit haar computer af. Opeens meent ze een geluid te horen. Een deur die dichtslaat. Ze luistert maar alles is stil.

Ze trekt haar jas aan en gaat weg. Dan meent ze het geluid opnieuw te horen. Iets boezemt haar angst in. Ze snelt door de gang naar buiten. Op straat blijft ze staan en ze kijkt om zich heen. Het is heel stil. De auto's zwijgen. Ze loopt naar haar eigen auto en doet die van het slot.

Ze ziet niet dat er een eindje verderop een man achter het stuur van een auto zit. Een man die haar in de gaten houdt.

V

De papieren zwaluw

Vroeg in de ochtend. Kil, een dun sneeuwlaagje. De deur van de caravan gaat open en Edvin komt naar buiten met een mobiele telefoon in zijn hand. Hij belt naar het huis van Henrik en Louise.

Henrik staat geheel aangekleed met een kop koffie in de keuken de krant door te bladeren. Hij neemt op.

'Met Rehnström... Hallo, Edvin. Hoe gaat het?... Maar je kunt daar in de winter toch niet wonen. Je weet dat er bij ons plek voor je is... Natuurlijk is ze al wakker. Maar ze is nog boven... Ik zal haar even roepen. Louise! Telefoon! Het is Edvin! Ik leg hier beneden op.'

Louise neemt in de slaapkamer de telefoon op.

Henrik staat nog met de hoorn van de telefoon tegen zijn wang. Hij hoort een klik wanneer Louise boven opneemt. Hij legt echter niet neer, maar luistert mee.

'Kun je naar me toe komen?' vraagt Edvin.

'Vanochtend ben ik bezet.'

'Ik wil je iets laten zien. Iets wat met Ingemarsson te maken heeft.'

Louise neemt ogenblikkelijk een besluit.

'Ik kom eraan.'

'Kun je koffie voor me kopen? Grove maling. En brood. Tot straks.'

Edvin beëindigt het gesprek. Louise legt de hoorn neer, net als Henrik.

Louise loopt de trap af naar de keuken. Ze gaan ontbijten.

'Wat wilde Edvin?' vraagt Henrik.

'Wie?'

'Jezus... Hoeveel mensen hebben er vanochtend al gebeld?'

'Hij vroeg of ik boodschappen voor hem kon doen.'

'O?'

'Ja, daar moet ik hem natuurlijk mee helpen.'

Ze zegt verder niets over het telefoongesprek. Henrik vraagt ook niets meer.

152

Louise gaat naar een levensmiddelenwinkel die zo vroeg in de ochtend al open is. Ze heeft haast en wendt zich tot een personeelslid.

'Waar kan ik ergens de koffie vinden?'

De bediende wijst naar een stelling.

153

Louise loopt met een plastic tas de winkel uit en rijdt weg.

154

Henrik is in zijn kantoor aan het bellen.

'Er was iets. Maar ik kan je niet precies zeggen wat.'

Hij luistert en beëindigt dan het gesprek. Elin klopt aan en komt binnen.

'We zouden de vergadering met de werkgroep Bedrijfsleven van de gemeente doornemen. En de receptie van vanmiddag met de ondernemersvereniging.'

'Belangrijk is dat de media beseffen dat dit een heel nieuw initiatief is.'

'We hebben uitnodigingen rondgestuurd en daarna ook gebeld om ze eraan te herinneren.'

'Dan kunnen we niet echt veel meer doen dan hopen dat ze ook komen.'

'Ik heb hier wat papieren die je moet tekenen.'

'Mijn vrouw denkt dat jij en ik iets met elkaar hebben.'

Elin vraagt zich af of ze het goed verstaan heeft.

'Ik geloof dat ik het niet helemaal begrijp...'

'Maar het is toch simpel? Mijn vrouw denkt dat jij en ik elkaar neuken. Maar dat is natuurlijk geen probleem, omdat het niet waar is? Toch?'

Henrik buigt zich over zijn papieren. Elin gaat weg, nog steeds onzeker over wat Henrik nou eigenlijk bedoelde.

155

Louise arriveert op de plaats van de brand. Edvin staat haar op te wachten en ze gaan de caravan in. Weldra kookt het water en Edvin telt de secondes die nodig zijn om de koffie te laten trekken. Dan schenkt hij in en gaat zitten.

'Ik ben nog steeds goed bij mijn hoofd. En ik weet nog steeds wat ik denk en vind en geloof. Er begint zich in mijn hoofd een enorm simpele waarheid af te tekenen. Mijn huis is afgebrand omdat iemand het heeft aangestoken. De bedoeling was dat ik in de vlammen zou omkomen en daarom was de voordeur met een ijzeren pijp gebarricadeerd. Zo ziet de eenvoudige waarheid eruit. En die laat slechts ruimte voor één enkele vraag: waarom?'

'Waarom? Omdat daar geen antwoord op is, moet het een verkeerde vraag zijn. Niemand wil je kwaad doen. Jij hebt geen vijanden.'

'"Niemand wil je kwaad doen. Jij hebt geen vijanden." Dus is de vraag verkeerd. Dat heb ik vannacht bedacht. Niet alleen dat de vraag verkeerd is, maar ook waaróm die verkeerd is.'

'Nu kan ik je niet meer volgen.'

'Maar het is heel eenvoudig! Men wil mij persoonlijk geen kwaad doen. En het huis waarschijnlijk ook niet. Wat willen ze dan? Wat heb ik? Dat niemand anders heeft?'

Louise begint het te begrijpen.

'Je foto's?'

'Mijn foto's. Op de een of andere manier vormen die voor een of meerdere personen een bedreiging. Maar wélke foto's? Ik weet het niet. Zitten ze tussen de foto's die ik heb weten te redden? Of zijn ze verbrand?'

Edvin wijst naar een paar grote plastic zakken die in de kleine caravan staan.

'Dat is wat er nog van over is. Plus vier grote dozen met negatieven.'

'Ik kan het nauwelijks geloven. Het lijkt volkomen absurd. Zoiets gebeurt niet. In elk geval niet in ons land. Of hier. In deze streek.'

'Toen Bengt Ingemarsson hier bij zonsondergang kwam aanrijden dacht ook niemand dat hij mogelijk was. Maar dat was hij wel. Niet alleen in Stockholm, maar hier ook. Er is geen verschil meer tussen grote steden en kleine, zoals deze. De vraag is of het platteland nog wel bestaat. Of dat alles tegenwoordig aan elkaar vast gebouwd is.'

'Je ziet het in de rechtszalen. Wij veroordelen gewetenloze drugsdealers en ijskoude moordenaars. Dat deden we vijftien jaar geleden nog niet. In elk geval niet zo vaak als nu.'

'Zie je wel!'

'Maar dat iemand jou zou willen vermoorden… Dat is absurd.'

'Het leven ís absurd.'

'Maar jij hebt toch nooit door sleutelgaten staan fotograferen? Mensen die zich in de verkeerde bedden bevonden?'

'Nooit. Het moet dus iets anders zijn. Zonder dat ik het zelf weet, heb ik afdrukken gemaakt van verbanden tussen mensen die eigenlijk niet zouden moeten bestaan. Althans, niet zichtbaar zouden moeten zijn.'

'En jij denkt dat het met Ingemarsson te maken heeft?'

'Ja.'

'Heb je je foto's doorgenomen?'

Opeens gaat Louises mobieltje. Ze neemt niet de moeite op te nemen.

'Daar was ik mee bezig. Elk gezicht. Ik ben nu veel kwijt, maar niet alles.'

'Hoe weet je eigenlijk wat je zoekt?'

'Dat weet ik niet. Maar wanneer ik het plaatje voor me heb, zal ik het wel weten.'

'Ik zou willen dat jij een Deense accountant vindt die eigenlijk niet bestaat. Die geen gezicht heeft. Die mogelijk Bengt Mogensen heet.'

'Mensen die niet bestaan komen zelden op de foto.'

Louise is opeens nadenkend. Iets in Edvins woorden is belangrijk. Zonder dat ze er precies de vinger op kan leggen.

'Er is nog iets. Ik heb besloten weer te gaan fotograferen. Ook al is het maar voor een paar dagen.'

'Waarom?'

'Dat zul je wel zien.'

Louise heeft de caravan verlaten. Katten in diverse kleuren nemen haar argwanend op. Ze loopt naar haar auto. Edvin staat haar bij zijn caravan na te kijken.

156

Tandarts Hökberg buigt zich over een patiënt. Zijn assistente helpt hem. Opeens kijkt ze op. Louise staat in de deuropening. Hökberg ziet haar ook en doet meteen zijn mondkapje af. Ze lopen naar een ruimte waarin nog een tandartsstoel staat, maar waar geen patiënten zijn.

'U herkende me?'

'Ja.'

'Hebben we elkaar al eerder ontmoet?'

'Ik heb uw gezicht in de kranten zien staan.'

'Dan weet u ook waarom ik hier ben.'

'Eigenlijk niet. Ik dacht dat de politie het onderzoek deed.'

'Maar dat neemt niet weg dat ook een officier van justitie vragen kan stellen.'

'Vergis ik me als ik denk dat het heel ongebruikelijk is?'

'De situatie is ook niet zo gebruikelijk.'

'Ik hou mijn patiëntenkaarten op orde.'

'Wellicht moet u dat onder ede verklaren.'

'Dat verandert er niets aan.'

'Eigenlijk ben ik hierheen gekomen om u naar iets anders te vragen. Hökberg Trading.'

'Daar heb ik nog nooit van gehoord. Wat is dat?'

'Een bv waarin Bengt Ingemarsson grote belangen had.'

'Ik was zijn tandarts.'

'Verder niets?'

'Wat zou dat moeten zijn?'

'De naam. Hökberg. Hökberg Trading. Ik vraag me natuurlijk af of u die Hökberg bent.'

'Dat is niet zo.'

'Weet u dat zeker?'

'Word ik ergens van beschuldigd?'

'Nee.'

'Dan hoef ik eigenlijk ook geen antwoord te geven. Maar dat doe ik wel. Ik had geen andere relatie met Bengt Ingemarsson dan dat ik zijn tandarts was.'

Louise maakt zich op om weg te gaan. Er komt echter nog een vraag bij haar bovendrijven.

'Wat voor tanden had hij? Had hij een goed gebit?'

'Dat is iets tussen de patiënt en mij.'

'Ja, uiteraard.'

'Maar ik geef u toch antwoord. Om mijn goede wil te tonen. Bengt Ingemarsson had een mooie glimlach, maar hij had een slecht gebit. Er zaten veel vullingen in die je niet zag.'

Louise blijft staan. Ze herinnert zich dat Tornman iets anders zei. Dat Bengt Ingemarsson een goed gebit had. Hoewel dat misschien alleen maar een conclusie is die een leek trekt zodra hij een gelijkmatige rij witte tanden ziet.

157

In de tuin van Roland en Kristina zit Roland te werken aan het poppenhuis. Edvin komt de hoek om. Ze begroeten elkaar.

'Regent het nog steeds in in je caravan?'

'Nee. Ik kom om te vragen of je ook een oud fototoestel voor me te leen hebt.'

'Ga je weer fotograferen?'

'In elk geval een paar dagen.'

Roland legt zijn gereedschap aan de kant en staat op. Ze gaan naar binnen en lopen naar Rolands werkkamer. Edvin friemelt aan een systeemcamera die nog niet zo heel oud is, maar voor hem toch al behoorlijk geavanceerd.

'Hier moet ik wel mee kunnen omgaan. Als je hem durft uit te lenen?'

'Je mag hem houden.'

'Je krijgt hem terug wanneer ik klaar ben.'

'Wat wil je vastleggen?'

'Mijn afgebrande huis…'

Louise komt de kantine van het politiebureau binnenzeilen en vindt Tornman aan een tafel.

'Ik heb Hökberg inmiddels gesproken. Hij blijft bij zijn eerdere verklaring.'

'Had je dan wat anders verwacht?'

'Is de patholoog al klaar?'

'Nee. Maar bij Ledskär is geen skelet of een wrak van een boot gevonden.'

'Heet het daar zo? Ledskär?'

'Eigenlijk is het een rots die geen naam heeft. Maar de vissers noemen het altijd Ledskär. Vroeger richtten ze zich vanaf daar op de ondiepten waar Oostzeeharing in voorkwam. Die rots vormde hun baken.'

'Ik wil graag dat je Hökberg oproept voor een verhoor.'

'Waarom?'

'Hij liegt. Die patiëntenkaart is niet van Ingemarsson.'

'Dat valt nauwelijks hard te maken. Maar we zijn op zoek naar een tandarts in Stockholm.'

'En Hökberg Trading?'

'Voorzover we het nu kunnen beoordelen is dat een keurig bedrijf. Ingemarsson heeft zijn aandelen verkocht in het jaar voordat hij verdween. Ongeveer de helft ervan zit in de investeringsmaatschappij Akilles. De rest is over veel partijen verdeeld. Ik heb contact gehad met het Centraal Aandelenregister. We zullen zien wat dat oplevert.'

Er valt een stilte. Louise denkt na.

'Je bedoelt toch niet serieus dat ik Hökberg moet laten komen? Alleen maar omdat jij spoken najaagt?' vraagt Tornman.

'Ingemarsson leeft nog. Hij is geen spook. Als dat maar duidelijk is.'

Louise staat geïrriteerd op en vertrekt. Tornman is verontwaardigd.

'Stom wijf...'

Henrik staat in zijn kantoor voor de spiegel en is bezig een andere stropdas om te doen. Een jonge ambtenaar leest hem ondertussen iets voor van een blad.

'...Daarom kun je rustig zeggen...'
'Niet "je". "Ik". Ik zeg dat rustig...'
De ambtenaar krabbelt de wijziging neer.
'"Daarom kan ík rustig zeggen dat de jaren tachtig geen goede periode waren. Het oordeel van de geschiedenis kan hard zijn. De Zweedse economie werd geruïneerd door speculaties en een gebrekkige controle van de kredietverstrekkende maatschappelijke instanties. Wat visionaire expansie leek, was vaak niets anders dan verhulde onverantwoordelijkheid. De eerder zo gezonde economie begon grove elementen te bevatten van iets wat je niet anders kunt noemen dan een bandietenmentaliteit."'
'"Gangstermentaliteit". Dat is beter! "Gangstermentaliteit".'
'"...wat je niet anders kunt noemen dan een gangstermentaliteit. Er was sprake van een splitsing in een zwart- en witgeldcircuit. Iets wat tien jaar eerder slechts uiterst marginaal voorkwam in de Zweedse economie."'
'Dat laatste is niet waar.'
'Maar je hebt het zelf geschreven.'
'Dat weet ik wel. Maar toch... Ga door!'
'"Dit is iets wat wij in onze gemeente zeker aan den lijve hebben ondervonden. Onze inzet voor de gemeentelijke ondernemersvereniging moet dan ook tegen deze achtergrond worden gezien."'

De ambtenaar zwijgt en kijkt naar Henrik, die de knoop van zijn stropdas bestudeert.

'Wat is nou jouw opréchte mening?'

'Er is in dit land geen wethouder die zo'n dasknoop heeft.'

'Daar kun je inderdaad vergif op innemen.'

'Ik vind het een goede speech.'

'Vind je dat?'

'Helder en duidelijk.'

'Weet je wat ik vind? Dat het een slap ouwehoerverhaal is. Dat niets zegt over wat we nu werkelijk vinden van de jaren tachtig en de economie van de snelle jongens. Echt een waardeloze kutspeech.'

Henrik pakt de papieren en weegt ze op zijn hand. Dan loopt hij naar de prullenbak en laat op één na alle bladen erin vallen. Hij gaat op een punt van zijn bureau zitten en begint een vliegtuigje te vouwen.

'Dit heb ik van mijn pa geleerd. Die was ploegbaas. Negen jaar van zijn leven was hij bezig om het terrein te effenen voor de aanleg van de weg naar de kust. Op zijn ouwe dag vroeg hij mij af en toe of ik met hem een ritje wilde maken. Hij wist zich elke bocht van die weg nog te herinneren. Hij genoot. "Deze weg heb ik aangelegd", zei hij keer op keer. Dat gaf zijn leven zin. Een oude socialist die wist dat ontwikkelingen tijd nodig hebben en inzet vereisen. Zelfs met een papieren vliegtuigje mocht je niet slordig omgaan. Dan kon hij woest worden. Als het had gekund, had hij waarschijnlijk ergens langs die weg begraven willen worden.'

Henrik is klaar met zijn vliegtuigje. Hij gooit het weg. Het zeilt heel elegant door de kamer.

'Ik denk dat ik het daarover zal hebben. De kunst van het wegen bouwen. En vliegtuigjes vouwen.'

'Maar waar staat dat vliegtuig voor?'

'Kennis. Eerlijk en fatsoenlijk werk dat vruchten afwerpt.'

'Ik weet niet zeker of de vergelijking helemaal duidelijk is.'

'Dat is ook de reden waarom jij nooit wethouder zult kunnen worden. En een stropdas strikken kun je ook niet. Hoe laat is het?'

'Tien over halftwee.'

'Ik schrijf een paar steekwoorden op. Dat moet genoeg zijn. Bedankt voor je hulp.'

'Veel was het niet…'

'Je luistert niet naar wat ik zeg! Bedankt voor je hulp. Je húlp. Niet het resultaat.'

Henrik gaat met pen en papier achter zijn bureau zitten. De ambtenaar verlaat de kamer zonder een woord te zeggen.

160

Louise keert terug op het OM en wordt bij de receptie staande gehouden.

'Er is bezoek voor je.'

'Wie dan?'

'Ze zit daar achter die planten.'

Louise loopt naar de afscheiding. Daar zit Elin, Henriks secretaresse. Louise herkent haar niet.

'Bent u degene die mij wilde spreken?'

'Wat haalt u zich verdomme in uw hoofd?'

'Sorry?'

'Wie denkt u wel dat ik ben? Wie denkt u dat u zelf bent?'

'Ik heb hier geen tijd voor. Ik wil nú weten wie u bent en wat u wilt.'

Het luidruchtige gesprek wekt een zekere nieuwsgierigheid op de gang en bij de receptie.

'Ik val in voor de secretaresse van wethouder Henrik Rehnström.'

Louise begrijpt het opeens.

'Leuk om u te ontmoeten.'

'O ja? Nee. Dat is helemaal niet zo. Ik hou er niet van dat u praatjes rondstrooit dat ik met uw man naar bed zou gaan.'

'Dit moet een misverstand zijn…'

'Voor mij is het helemaal geen misverstand.'

'Misschien kunnen we even naar mijn kamer lopen…'

'Ik moet weg. Ik wilde u alleen maar even vertellen dat u moet ophouden met het rondstrooien van praatjes. En dat heb ik nu gedaan. Verder heb ik er niets aan toe te voegen.'

Ze loopt weg, maar draait zich midden voor de receptiebalie om en roept uit volle borst: 'Ik neuk namelijk niet met uw man.'

Elin vertrekt. Louise weet zich geen houding te geven.

Nieuwsgierige ogen en oren om haar heen.

161

Henrik staat achter een katheder voor een groot aantal ondernemers. In het publiek bevindt zich ook Mats Hansson. De blikken van Henrik en hem kruisen elkaar een keer.

'Wat was er aan de hand? *Wat was er aan de hand?* Die vraag wordt door velen gesteld. Velen liggen daar 's nachts wakker van. Wat was er aan de hand met dit land? Op een ochtend trok je het rolgordijn omhoog en alles was veranderd. Het landschap zag er anders uit. Als uit het niets was er een kil en steriel landschap verrezen. Wat was er eigenlijk aan de hand?'

Henrik houdt zijn papieren vliegtuigje omhoog.

'Mijn vader zou het land niet meer hebben herkend. Hij had meegeholpen aan de afbraak van het Armeluis-Zweden. Aan het creëren van een fatsoenlijk landschap voor de mensen om in te leven. Hij had de basis voor de toekomst gelegd. En nu was die opeens voorbij. Rolgordijn omhoog: Zweden had een metamorfose ondergaan. Niets klopte nog. Langs de verlaten straten slopen mensen die niet werkten voor de fundamentele gemeenschap, maar die luchtkastelen van hebzucht bouwden. Ten koste van anderen. Opeens werden bedriegers helden. Ook al dachten we dat het de ondernemers van de nieuwe tijd waren. Mijn vader zou het land niet meer hebben herkend. Hij zou hebben gevraagd: "Hadden ze niemand die vliegtuigjes voor hen vouwde toen ze klein waren?"'

Henrik werpt zijn vliegtuigje weg. Het landt in de schoot van Mats Hansson, die onzeker glimlacht.

'We moeten weer bij het begin beginnen', vervolgt Henrik. 'De toekomst opnieuw grondvesten. Daarom zijn we hier vandaag bijeengekomen. Wij verdedigen de vrije markt. Maar het zal nooit meer worden zoals in de jaren tachtig. Geen ongecontroleerde chaos. Maar het zal ook niet meer worden zoals vijftig jaar geleden toen Zweden nog een arm land was dat tussen het verlichte Europa en de bevroren toendra in lag. Politiek is een kwestie van wat wij goedvinden dat er gaat gebeuren. Ik dank u voor uw aandacht.'

Henriks speech wordt met applaus ontvangen. De ambtenaar die heeft zitten worstelen met de oorspronkelijke speech is onwillekeurig toch onder de indruk. Helemaal achter in de zaal zit Edvin, met een aantal journalisten, en een cameraman van de televisie. Edvin neemt foto's met het toestel dat hij van Roland heeft gekregen.

162

Henrik en de aanwezige directeuren stellen zich op voor een groepsfoto buiten bij het congrescentrum, dat in een oud kasteel is gevestigd. Over het geheel hangt een beetje een sfeer van de minister-president die de sociale partners op zijn buitenhuis ontvangt.

Edvin neemt foto's en ziet nu pas dat Mats Hansson er ook is.

163

Edvin loopt door het park rond het kasteel naar de parkeerplaats. Henriks auto staat daar ook en na een poosje te hebben gezocht vindt Edvin ook de auto van Mats Hansson. Edvin neemt een paar foto's. Hij wil net weggaan wanneer hij ziet dat Hansson eraan komt. Hij neemt meteen een besluit en glipt achter een hoge, oude boom, waar hij zich onzichtbaar maakt.

Dan ziet hij dat Henrik eveneens onderweg is naar de parkeerplaats. Tussen de auto's hebben de beide mannen een kort gesprek. Edvin kan niet horen wat ze zeggen, maar hij maakt enkele foto's. Henrik overhandigt ook een envelop aan Hansson. Terwijl Hansson wegrijdt, keert hij snel terug naar het kasteel.

164

Edvin is bij Roland thuis. Hij heeft een filmrolletje in zijn hand.

'Natuurlijk kan ik dat ontwikkelen. Maar waarom lever je het niet gewoon in?'

'Liever niet. Het ligt misschien een beetje gevoelig.'

Roland pakt het rolletje aan en knikt.

'Wanneer heb je het nodig?'

'Zo snel mogelijk.'

'Ik kan het vanavond wel doen.'

Edvin knikt. Hij is tevreden.

165

Louise zit op haar kantoor, nog steeds geschokt door de ontmoeting met Elin. Ze trekt haar lade met wodkaflessen open, maar raakt ze niet aan. Er wordt geklopt en ze schuift de la weer dicht.

'Kom binnen.'

Love staat in de deuropening.

'Stoor ik?'

'Nee.'

'Daar kon je echt niet omheen.'

'Wat?'

'Om dat mens bij de receptie.'

'Ze kwam zeggen dat ze niet met mijn man naar bed gaat.'

Love wacht op een vervolg, maar dat blijft uit.

'Was dat alles?' zegt hij.

'Ja.'

'Wie was het?'

'Henriks secretaresse. Die anonieme brief... "Wie zegt dat Bengt Ingemarsson dood is? Wie zegt dat hij leeft?"'

'Wat is daarmee?'

'Edvin maakte vanochtend een opmerking...'

'Edvin wie?'

'Mijn oom. De man die bijna bij een brand is omgekomen.'

Love knikt. Hij weet nu wie ze bedoelt.

'En die maakte een opmerking?'

'"Mensen die niet bestaan komen zelden op de foto."'

'Zo vreemd klinkt dat toch niet?'

'Daar zit iets in waar ik de vinger niet op kan leggen... Er is iets waardoor wij in de verkeerde richting denken.'

'Je komt er vast nog wel op. We zien elkaar vanavond.'

Louise kijkt op haar horloge en krijgt meteen haast.

'Ik moet nu weg om te zien of ik die Färnström veroordeeld kan krijgen...'

166

Mats Hansson is naar een oude kalkgroeve gereden. Hij stapt uit zijn auto en maakt de envelop open die hij eerder die dag van

Henrik heeft gekregen. Er zitten kopieën in van de verslagen van de gesprekken die de politie met onder anderen Irene Lundin heeft gevoerd.

167

Louise is bij de rechtbank aangekomen. Voor de verandering is ze een keer niet aan de late kant. Een bode wenkt haar.

'Uw man heeft gebeld. Of u even contact wilde opnemen.'

'Bedankt.'

Onder het bellen loopt Louise naar de kamer van de officieren. Ze wacht tot Henrik opneemt.

'Hoi. Jij had gebeld?'

'Hoe was het met Edvin?'

'Verbazingwekkend goed. Vooral nadat hij zijn koffie op had.'

'Hij kan daar in de winter niet blijven wonen.'

'Belde je daarom?'

'Eigenlijk niet. Ik vraag me gewoon af hoe het gaat.'

'Officieren hebben zwijgplicht, dat weet je.'

'Dan moet je maar wat geschikte papieren mee naar huis nemen. En die op een tafel neerleggen waar ik dan toevallig langsloop. Wil ik je tenminste kunnen helpen.'

Louises zaak wordt via de intercom aangekondigd.

'Ik moet nu ophangen. Er moeten mensen de gevangenis in.'

Het gesprek is afgelopen. Henrik is ontevreden en nerveus. Iets in de situatie bevalt hem niet.

168

In de rechtszaal. Dezelfde sombere, landerige sfeer als de vorige keer.

'Heeft de verdachte zelf nog iets aan te voeren?' vraagt de rechter.

'Er is verdomme geen woord waar van wat dat wijf zegt', antwoordt de verdachte, Färnström genaamd.

Louise stoort zich aan de manier waarop ze beschreven wordt. De raadsman van de verdachte ergert zich ook en de rechter wordt boos.

'Als u hier wat te zeggen hebt, doet u het dan alstublieft op een fatsoenlijke manier. Uw persoonlijke meningen interesseren ons helemaal niets.'

'Wat moet ik dan verdomme zeggen? Het is niet waar. Ik heb die klootzak niet met een ijzeren pijp geslagen.'

'Zo is het genoeg geweest.'

Louise staart Färnström aan. Ze heeft opeens een idee gekregen. Koortsachtig bladert ze door haar papieren. Ze vindt wat ze zoekt en wendt zich dan tot Färnström, hoewel dat formeel niet juist is.

'Wat was het dan? Als het geen ijzeren pijp was? Want u hebt ergens mee geslagen. Bertil Fredriksson heeft dat verklaard. Hij heeft gezien dat u iets in uw handen had wat u boven uw hoofd tilde voordat u sloeg en hem bijna doodde. Wat was het dan?'

'Dit is niet volgens de regels', protesteert de raadsman van de verdachte. 'De politie heeft niets gevonden wat als slaginstrument lijkt te zijn gebruikt. Meneer Färnström zelf ontkent en houdt vol dat hij slechts met zijn rechtervuist heeft geslagen. De vragen van de officier komen bovendien niet op het juiste moment...'

Louise lijkt het niet te horen. Ze blijft Färnström aanstaren.

'Was het misschien een houten knuppel? Een heel speciaal soort knuppel? Een zeehondenknuppel?'

Louise ziet dat Färnström schrikt. Heeft ze misschien toch raak geschoten?

Na de zitting lopen Färnström en zijn raadsman de rechtbank uit.
'Waar had de officier het nou over? Een zeehondenknuppel?'
vraagt de raadsman.
'Hoe moet ik dat verdomme weten?' snauwt Färnström.

Louise is terug op haar kantoor. Ze heeft haast en begint tussen
haar papieren te zoeken naar de lijst die Love en zij bezig zijn door
te nemen. Ze loopt de namen langs. Stopt. Daar staat de naam die
ze zoekt: Roger Färnström. Ze probeert te begrijpen wat dat
betekent. Weer het verband: hoe ziet dat eruit?

Mats Hansson laat bij een koeriersbedrijf een pakketje achter en
neemt een verzendbewijs in ontvangst. Het pakje moet naar
Denemarken.

Viola zit op een stoel naar de muur te staren. Edvin komt binnen
met een zak sinaasappels en gaat naast haar zitten.
'Dag Viola…'
Ze kijkt hem aan alsof ze hem nooit eerder gezien heeft.
'Ik heb een paar sinaasappels meegebracht…'
Ze kijkt naar de sinaasappels alsof ze die ook nog nooit van haar
leven gezien heeft.

'Dat is lekker zo in het najaar. Op je ouwe dag. Een sinaasappel', vervolgt Edvin voorzichtig.

Er komt een verzorgster langs.

'Ik geloof niet dat mevrouw Mattsson zelf nog een sinaasappel kan schillen.'

'Maar dan helpen we haar toch? Of niet?'

Met eindeloos geduld helpt Edvin Viola bij het schillen van de sinaasappel.

173

Tandarts Hökberg komt het politiebureau binnen. Hij is zenuwachtig en kijkt onzeker rond. De agent achter de balie neemt hem op.

'Kan ik u ergens mee helpen?'

'Ik wil rechercheur Tornman spreken.'

'Waar gaat het over? Wilt u aangifte doen?'

'Ik wil Tornman spreken.'

'Hij is bezig met een verhoor.'

'Dan wacht ik wel.'

'Inspecteur Andrén is wel beschikbaar.'

'Ik wil Tornman spreken. Niemand anders.'

De agent haalt zijn schouders op, maar Hökberg maakt een onevenwichtige indruk, dus gaat hij voor de zekerheid Tornman halen.

'Hij komt nogal nerveus over.'

'Heeft hij zijn naam gezegd?'

'Nee.'

Ze komen bij de receptie. Tornman ziet wie er op hem wacht. Ze staren elkaar aan. Tornman geeft Hökberg een knikje dat hij moet meekomen.

Op het kantoor van Tornman liggen de patiëntenkaarten op het bureau. Hökberg is net klaar met zijn verhaal.

'Als je dit zegt…'

'Ik heb geen keus. Ik kan er niet meer tegen. Ze heeft me door, ze weet dat ik lieg. En de patholoog-anatoom zal zich niet gewonnen geven.'

'Rustig nou maar! We lossen dit wel op.'

'Hoe dan? Die patiëntenkaart is verwisseld. Moet ik meineed plegen? Dat kan ik niet. Dat red ik niet.'

'Ik regel dit wel.'

'Hoe dan?'

'Heb je hier met iemand anders over gepraat?'

'Wie zou dat moeten zijn?'

'Je vrouw?'

'Nee. Met niemand.'

'Geef me een paar dagen. Meer niet. Tot die tijd moet je je mond houden.'

'Wat ben je van plan?'

'Dat hoef jij niet te weten. Je wilt er immers niet bij betrokken zijn. Of wel?'

'Nee.'

'Dan spreken we het zo af. Ik regel dit wel. Maak je maar geen zorgen.'

Tornman laat hem uit.

'Was dat niet die tandarts?' vraagt de agent bij de receptie. 'Hökberg?'

'Hij zei dat hij zich bedreigd voelde. Maar ik heb hem gekalmeerd. Er is vast niets aan de hand.'

'Bedreigd? Door wie dan?'

'Waarschijnlijk door iemand die ziek is, die niet tegen amalgaam kan, maar die ongevaarlijk is. Hij beweerde dat Hökberg kwikzilver in zijn lijf had gespoten. Wat een waanzin!'

Tornman loopt terug naar zijn kamer. Hij drukt op een knop waardoor het lampje 'bezet' boven zijn deur gaat branden en legt de hoorn van de telefoon. Zijn gezicht staat heel ernstig.

De agent is alweer verdiept in zijn krant.

175

In Rolands zelfgebouwde doka schijnt het klassieke rode licht. Edvin is er ook en ziet de beelden tevoorschijn komen. De eerste foto wordt opgehangen. Edvin bestudeert hem met een vergrootglas. Henrik staat erop, Mats Hansson en anderen. Roland vraagt zich natuurlijk af waarom deze foto's van bijeengekomen directeuren, of close-ups van auto's op een parkeerplaats, zo belangrijk zijn, maar hij stelt geen vragen.

176

Love en Louise zijn op het OM. Louise loopt opgewonden heen en weer. Love zit vermoeid en onderuitgezakt in een stoel.
   'Dus dan zijn we weer terug bij af.'
   'Dat punt zijn we voorbij. Dat zijn we ver voorbij. We weten dat Ingemarsson leeft. We weten dat die schedel een poging was om ons voor de gek te houden. We weten dat de patiëntenkaart vals is. Op de een of andere manier is Hökberg erbij betrokken. Edvins huis brandt af. Dat heeft er ook iets mee te maken.'
   'Er zijn geen bewijzen. Geen feiten. Dat betekent dat we wel kunnen inpakken. En de baas blij kunnen maken.'
   'Dat hebben we al gedaan. Dit onderzoek bestaat niet. Dat is

net zo onzichtbaar als Bengt Ingemarsson. Maar er is meer. Ik ben nog niet klaar. Weet je wat ik heb ontdekt? Dat die Färnström, die ik vandaag veroordeeld heb proberen te krijgen, ook op de lijst staat. En ik ben er zeker van dat hij degene was die de zeehondenknuppel bij ons thuis voor de deur heeft gezet.'

'Waarom zou hij dat hebben gedaan?'

'Dat weet ik niet. Als een soort onaangename waarschuwing misschien? Maar terwijl wij proberen uit te zoeken hoe de boel in elkaar steekt, is er iemand die ons op een dwaalspoor probeert te brengen. Voor de verandering klopt de uitdrukking: "de sporen uitwissen".'

'Wat haal je je toch in je hoofd? Dat wij een samenzwering op het spoor zijn?'

'Iemand wil in elk geval niet dat wij de zaken van Bengt Ingemarsson oprakelen.'

'En het is niet strafbaar om dat niet te willen, Louise. Dit… dit leidt nergens toe.'

'Als je moe bent, mag je best naar huis gaan.'

'Ik ben verrekte moe. Jij niet?'

'We moeten iemand vinden die praat. We moeten Mogensen vinden. En we moeten uitzoeken waarom Hökberg die patiëntenkaarten heeft verwisseld. Wie daarachter zit.'

'Achter zit? Wie zou dat moeten zijn?'

'Dat weet ik niet.'

'Maar ik weet wel dat ik nu moet optreden. We gaan niet verder, Louise. Het is afgelopen. We hebben genoeg ander werk liggen, hoewel het steeds moeilijker wordt. We hebben geen tijd om spoken na te jagen.'

'We moeten nog steeds honderdveertig namen doornemen.'

'We stoppen ermee. Ik ga naar huis. Dat zou jij ook moeten doen.'

'Ik dacht dat jij me wilde helpen…'

'Het is afgelopen, Louise. Het is voorbij. Ga naar huis om te slapen. Morgen is er weer een dag. Met echte misdaden die voor een echte rechter moeten worden gebracht.'

Love probeert haar een reactie te ontlokken, maar ze heeft zich afgewend. Love haalt zijn schouders op.

'Je kunt beter naar me luisteren…'

Er komt geen reactie en Love gaat weg.

Louise pakt een wodkafles en neemt snel een paar slokken. Dan werpt ze zich op de lange namenlijst, gaat naar de naam waar ze was gebleven en begint dan door het omvangrijke materiaal te bladeren op zoek naar verwijzingen. Ze geeft het niet op.

177

In Mats Hanssons woonkamer staat Tornman nerveus heen en weer te wippen. Hansson kijkt afkeurend naar zijn schoenen, die vuil mee naar binnen hebben gebracht. Zelf is hij in pyjama en ochtendjas.

'Wat is er zo belangrijk?'

'Färnström gaat achter de tralies.'

'Maximaal een jaar. We hebben besloten hem loonsverhoging te geven. Hij krijgt vijftienduizend meer voor elke maand dat hij moet zitten. Hij is best tevreden, volgens mij.'

'Waarom heeft hij die verrekte knuppel voor de deur gezet?'

'Hij was woest. Eigenlijk was het voor zijn doen best inventief. Maar Henrik was kwaad. Dat moet ik toegeven. Maar ik neem aan dat je daar niet voor kwam?'

'Hökberg kan de druk niet meer aan.'

'Wat bedoel je daarmee?'

'Hij wil zijn hart luchten. Louise Rehnström heeft met hem gepraat en hij heeft het gevoel dat ze hem helemaal doorziet.'

'Hoe komt het dat jij nog niet eens een stomme tandarts onder controle kunt houden?'

Tornman kiest ervoor niet op deze belediging in te gaan.

'Wat doen we?' vervolgt Hansson.

'Volgens mij lukt het niet om zijn zwijgen te kopen.'

'Hoe weet je dat? Iedereen heeft een prijs. Hökberg ook.'

'Er is een punt waarop andere dingen belangrijker worden.'

'Wat dan?'

'Je nachtrust. Bijvoorbeeld.'

Mats Hansson taxeert de situatie.

'Vroeg of laat snappen ze dat van die gebitten. Iets anders valt eigenlijk niet te verwachten. Maar Hökberg weet te veel. Dus dan zijn er niet zoveel alternatieven.'

Tornman beseft wat Hansson bedoelt.

'Nooit van mijn leven! Dat doe ik niet.'

'Natuurlijk doe je het, Tornman, natuurlijk doe je het.'

Hanssons lichaamstaal geeft aan dat het gesprek ten einde is. Bij de trap is een glimp van een jonge vrouw te zien, een andere dan de vorige keer. Hansson doet de voordeur open.

'Als je hier de volgende keer komt, doe me dan een lol en veeg je voeten voordat je binnenkomt. Of schaf overschoenen aan.'

Tornman druipt af. Mats Hansson smijt de deur dicht.

178

Edvin zit in zijn caravan de foto's te bekijken die hij bij Roland heeft ontwikkeld en gekopieerd. Hij vergelijkt ze met oudere foto's en noteert welke gezichten opnieuw voorkomen.

179

Op het OM heeft Louise zich met een viltstift bij een flap-over opgesteld. Ze is bezig een diagram van Ingemarsson te tekenen, van zijn bedrijven en zijn medewerkers. Ze is bijna klaar en het is een ongelooflijk omvangrijk schema geworden.

Louise bekijkt het en schrijft dan op een zelfklevend briefje nog een naam: 'Färnström?' en plakt dat op een vertakking van het diagram. Daarna op een ander briefje de naam 'Hökberg'. En ten slotte: 'Mogensen?' Ze plakt de twee briefjes op en probeert te interpreteren wat ze ziet, ondertussen mompelend: 'Wie zegt dat hij dood is... Wie zegt dat hij leeft... Mensen die niet bestaan komen zelden op de foto...'

Ze bijt op haar lip, probeert het diagram dat ze heeft getekend te duiden. Rond de naam van Mogensen zet ze een kring. Dan tekent ze een pijl die naar Bengt Ingemarsson wijst en zet ook om zijn naam een kring.

'Mensen die niet bestaan...'

Opeens bedenkt ze iets. Het is zo'n waanzinnige gedachte dat ze die eerst moeilijk kan bevatten. Ze haalt het briefje met de naam van Bengt Ingemarsson weg en bekijkt de lege plek. Dan plakt ze het briefje met de naam van Mogensen daar. Ze streept vervolgens Mogensens naam door en schrijft 'Ingemarsson' op. Ze plakt het oorspronkelijke briefje met Ingemarssons naam op de plek waar eerst Mogensen zat. Bekijkt het geheel. Streept dan Ingemarssons naam op de nieuwe plek door. Ze aarzelt. Schrijft vervolgens de naam van Mogensen op, die zich nu dus op twee plaatsen bevindt. Ze bekijkt het blad en wordt opeens bang van wat ze heeft gedaan. Ze begint de briefjes weg te halen, maar plakt ze toch weer terug.

Gespannen gaat ze op het puntje van haar stoel zitten om haar werk te bekijken. Opeens hoort ze iets tegen het raam slaan. Ze schrikt. Opnieuw een tik. Ze doet haar bureaulamp uit en kijkt door het raam naar buiten. Beneden op straat staat Henrik. Ze slaat een leeg blad van de flap-over terug over het grote diagram en verlaat haar kamer om de buitendeur van het OM te openen en hem binnen te laten.

'Ik hoop maar dat het alarm nu niet afgaat...'

'Weet je wel hoe laat het is?'

'Nee, geen idee.'

'Halfdrie.'

'Zo laat?'

'Moeten we hier blijven staan?'

'Ik ga mijn jas even halen.'

Ze lopen naar binnen. De deur valt dicht en ze gaan naar haar kantoor. Louise ruimt snel haar bureau op en pakt dan haar jas. Henrik is in de bezoekersstoel gaan zitten.

'Ik zat thuis te wachten. Ik had hulp nodig.'

'Jij hebt toch nooit hulp nodig?'

'Deze keer anders wel.'

'Waarmee dan?'

'Met het produceren van een spermamonster.'

Louise barst als eerste in lachen uit, gevolgd door Henrik.

'Volgens mij ben je niet goed wijs', giechelt ze.

'Volgens mij ook niet. We gaan naar huis.'

'Ik moet nog even naar de wc.'

Louise loopt de gang op. Henrik krijgt een ingeving. Hij loopt naar de flap-over en tilt het bovenste blad op. Hij ziet Louises diagram en bekijkt dat aandachtig. Wanneer hij haar hoort, laat hij het blad weer los. Louise komt weer binnen.

'Ik ben zover.'

'Dan gaan we.'

Ze verlaten de kamer.

180

Tornman zit in zijn auto te roken. Hij staat geparkeerd bij het pand waarin Hökbergs tandartspraktijk is gevestigd. Tornman denkt een poosje na. Dan rijdt hij weg.

De volgende ochtend is de lucht helder. Louise arriveert bij het Openbaar Ministerie. Edvin staat bij de ingang op haar te wachten.

Louise is verbaasd.

'Hallo…'

'Heb je tijd?'

Hij wijst veelbetekenend op een envelop die hij onder zijn arm heeft.

'Jazeker…'

Ze gaan samen naar binnen en komen in de gang Love tegen. Louise en Love groeten elkaar een beetje geforceerd, hetgeen Edvin opvalt. Ze lopen door naar haar kantoor. Daar spreidt Edvin zijn foto's uit op haar bureau.

'Ik weet natuurlijk niet of je hier ook iets aan hebt, maar bepaalde gezichten komen steeds terug. Misschien valt daar iets uit af te leiden?'

'Bedankt dat je de moeite hebt genomen…'

'Wat moet je anders doen? Als je oud bent…'

'Hou op met zeuren dat je zo vreselijk oud bent. Je bent nog behoorlijk pittig, vind ik. Weet je al iets meer over de brand?'

'Ze zijn in de resten aan het rommelen. Maar ze hoeven mij niks wijs te maken. Het kan niet anders of het was ze om die foto's te doen.'

'Ik zal deze bekijken. Dat beloof ik.'

'We zullen wel zien hoe lang ik me in de caravan kan redden. Maar anders? Geldt je aanbod nog steeds?'

'Wanneer je maar wilt.'

Edvin staat op en vertrekt. Louise bekijkt de foto's en neemt er enkele mee naar het raam, waar ze meer licht heeft. Ze werpt een blik naar buiten en ziet opeens Irene Lundin, die aan de overkant van de straat naar het OM staat te kijken.

182

Louise steekt de straat over. Op hetzelfde moment loopt Irene Lundin naar een geparkeerde auto. Louise volgt haar. Irene Lundin opent het portier en Louise gaat voorin zitten.

'Waar gaan we naartoe?'

'Er lopen zoveel rare lui rond. Het is beter om niet te veel op te vallen. In gezelschap van mensen die hun niet aanstaan.'

183

Ze stoppen op een parkeerplaats en stappen uit. Het is een erg mooie, late herfstdag.

'Je vraagt je natuurlijk af waarom ik je opzoek. Dat vraag ik me zelf ook af.'

'Je komt omdat je me iets wilt vertellen.'

'Ik heb me nooit met Bengts zaken bemoeid. Al had ik het gewild, dan nog had hij het nooit toegestaan. Als zijn deur dicht-zat, dan klopte je gewoon niet aan. Ik ben nooit bang voor hem geweest. Maar er waren wel anderen voor wie ik bang was en die bang voor hem waren. Is het absoluut zeker dat het niet Bengt is die daar op die rots is gevonden?'

'Het is nog niet officieel, maar hij was het niet.'

'Ik wist het. Wie wil dat er gedacht wordt dat hij dood is?'

'Wat denk jij?'

'Ik weet het niet.'

'Misschien hij zelf?'

Irene geeft geen antwoord.

'Je mist hem. Of niet?'

'Natuurlijk mis ik hem. Maar sinds wij elkaar laatst spraken, heb ik ook zitten nadenken. Het was altijd zo geheimzinnig. Een paar keer per jaar gingen ze naar een van de eilanden aan de scherenkust. Bengt zei tegen mij dat dit de enige keren waren dat hij iedereen tegelijk om zich heen had.'

'Waar gingen ze naartoe? Laatst zei je dat je dat niet wist.'

'Naar Hundö. Daar staat een oud huis dat van Bengt was. Ook al was iemand anders de officiële eigenaar.'

'Wie dan?'

'Mats Hansson. Maar dat heb je absoluut niet van mij! Is dat duidelijk?'

'Voorzover ik me kan herinneren hebben jij en ik elkaar zelfs nooit ontmoet.'

'Misschien ken je dat eiland al?'

'Ik heb er nog nooit van gehoord.'

'Soms zei hij dat het zijn buitenpost was. Hij sprak vaak over eilanden alsof het vestingen waren die verdedigd moesten worden.'

'Waarom wilde je me vandaag spreken?'

'Ik wil zekerheid of hij nog leeft. Nu heb ik die.'

'Hoe kun je er zo zeker van zijn dat ik de waarheid spreek?'

'Ik hou van hem, dat merk je wel. Zou jij echt kunnen liegen over het feit of degene van wie ik hou dood is of niet?'

Ze lopen terug naar de auto en rijden weer naar de stad. Irene laat Louise bij het OM uitstappen. Louise kijkt om zich heen voordat ze naar binnen gaat. Wanneer ze op de gang loopt, stapt Love opeens zijn kamer uit, pakt haar bij de arm, trekt haar naar binnen en sluit de deur.

'Ik was moe gisteren. Sorry.'

'We zijn allemaal moe en overwerkt.'

'Natuurlijk zal ik je helpen. Als dat nog nodig is.'

Louise glimlacht.

'Nu meer dan ooit.'

'Vanavond heb ik tijd. Ik moet al mijn kinderen ergens naartoe brengen en ze moeten ook weer worden opgehaald. Ik kan hier om zeven uur zijn.'

'Dan hebben we veel te bespreken.'

Louise loopt naar haar kamer en bekijkt het diagram. Op haar bureau liggen de foto's die Edvin haar heeft gegeven.

184

In een klein vervallen zomerhuisje aan de kust ligt Tornman, gekleed in een lange jas, op een bank waar een hoes overheen is getrokken. Hij heeft het koud. Hij drinkt alcohol, pakt zijn mobiele telefoon en toetst een nummer in.

'Hallo… Met Tornman. Ik ben ziek. Ik kom vandaag niet. Nee… Precies. Tot ziens.'

Hij beëindigt het gesprek en neemt weer een slok. Hij heeft zich niet geschoren en ziet er getekend en somber uit. Dan haalt hij een pistool tevoorschijn dat onder de bank lag. Met een van afkeer vertrokken gezicht legt hij het voor zich op tafel.

185

Louise en Love zitten op het OM koffie te drinken. Zij heeft net al haar conclusies van de laatste tijd aan hem uitgelegd. Hij bladert in zijn aantekeningen.

'Hundö? Ik geloof dat ik wel weet waar dat ligt.'

'Heb jij hier niet ergens een boot liggen?'

'In een jachthaven op Roudden. Hij moet eigenlijk voor de winter het water uit. We zouden natuurlijk samen een tochtje kunnen maken voordat ik hem eruit haal.'

'Hoe zit jij morgen?'

'Dan wordt het morgenochtend vroeg.'

'Dan kan ik ook. Hoe zullen we het noemen? Overleg op een onbekende plaats?'

'Een oculaire inspectie.'

'De vraag is alleen wat we daar behalve een afgesloten huis verder nog zouden kunnen vinden.'

'Misschien zit Bengt Ingemarsson daar wel op ons te wachten.'

'Dat lijkt me onwaarschijnlijk, maar toch heb ik het gevoel dat een bezoek de moeite waard kan zijn.'

'Het is altijd de moeite waard om de zee op te gaan.'

Love staat op.

'Kwart over zeven?'

Hij loopt weg. Louise geeuwt. Ze probeert zich op haar papieren te concentreren, maar heeft daar niet de energie voor en besluit naar huis te gaan. Wanneer ze op straat staat, begint het te regenen. Ze blijft een poosje staan om de frisse lucht in te ademen voordat ze naar huis rijdt.

186

Tornman zit 's nachts in zijn auto bij de villa van Hökberg. Hij toetst een telefoonnummer in. Wanneer de bel overgaat, gaat er in het huis een licht aan. Tornman kan zien dat Hökberg opneemt.

'Met mij. Ik moet je spreken.'

'Nu?'

'Er is een beetje haast bij. Maar ik heb goed nieuws. Het is opgelost.'

'Hoe?'

'Daar hebben we het wel over wanneer we elkaar zien.'

'Waar?'

'In je praktijk. Als je vrouw wakker is, moet je maar tegen haar zeggen dat er waterschade is. Maar noem mijn naam niet. Dat is belangrijk.'

'Ik snap het. Geef me twintig minuten.'

'Dat is goed.'

Tornman beëindigt het gesprek en ziet dat Hökberg snel iets zegt tegen zijn vrouw, die is opgestaan. Tornman legt dat uit als een bevestiging van het feit dat Hökberg doet wat hem is opgedragen.

187

Hökberg is bij zijn praktijk aangekomen en kijkt rond. Tornman duikt op uit de schaduw en ze verdwijnen naar binnen.

188

De volgende dag zit Louise op het OM te wachten, gekleed voor een dag op zee. Ze staat op het punt haar kamer te verlaten wanneer de telefoon gaat. Ze neemt op en luistert zwijgend.

'Ik kom eraan…'

Love staat in een zeilpak in de deuropening. Hij ziet Louises bezorgde gezicht.

'Problemen?'

'Mijn moeder. Ze doet niets anders dan huilen. En Kristina is ziek. Ik moet ernaartoe. Het spijt me.'

'Ik kan toch zelf naar Hundö gaan. Ik moet de boot toch inspecteren. Geen probleem. De vraag is alleen: wat had jij gedacht dat we zouden vinden? En hoe kom ik binnen?'

'Dat weet ik niet.'

'Als jij erbij was geweest, was er waarschijnlijk toevallig een

raampje gesneuveld. Dan had jij je toegang kunnen verschaffen.'
'Wie zal het zeggen…'

189

Louise is bij haar moeder, die ontroostbaar is en alleen maar huilt.
Ze houdt haar moeders hand vast.

190

Love is bij Roudden aangekomen. Hij staat op de lange steiger en
is bezig met een van de meertouwen. De haven lijkt totaal verlaten.

Hij gaat aan boord en start de motor.

191

Love meert aan op Hundö. Hij loopt naar het huis en ontdekt aan
de achterkant een raampje dat niet goed dichtzit. Na enige aarze-
ling klimt hij naar binnen.

Onhoorbaar voor hem is er een alarm afgegaan dat een signaal
afgeeft in een centrale op het vasteland. In het huis bevinden zich
ook goed verborgen bewakingscamera's. Love loopt het huis door
en komt bij de speciale computerkamer van Mats Hansson. Hij
fronst zijn voorhoofd, maar kan vervolgens de verleiding niet
weerstaan om te proberen de computers op te starten. Omdat hij
allerlei wachtwoorden moet intoetsen, slaagt hij daar niet in. In
plaats daarvan neemt hij wat papieren door die in de kamer liggen.

Hökbergs assistente parkeert haar auto bij de praktijk. Ze werpt in de achteruitkijkspiegel nog een blik op haar gezicht en stapt dan uit.

Ze doet de deur van de praktijk van het slot. De eerste patiënt van die dag staat al achter haar op de stoep. Het is een man met een flink gezwollen wang. Ze laat hem binnen in de wachtkamer.

Zelf loopt ze door naar de praktijkruimte. Opeens ziet ze dat er iemand in de tandartsstoel zit. Dan ziet ze dat het Hökberg is. Hij is dood, in zijn gezicht geschoten. Gillend rent ze naar buiten.

Louise zit aan het bed van haar moeder en houdt haar hand vast. Ze heeft moeite om haar ongeduld te beteugelen.

Louise rijdt weg bij het verzorgingstehuis van haar moeder. Ze komt langs de praktijk van Hökberg en ziet daar politiewagens en een ambulance staan. Ze stopt en stapt uit. Tornman is er al. Hun blikken kruisen elkaar.

Tornman en Louise lopen de praktijk binnen. Om hen heen zijn mensen van de technische recherche, ambulancepersoneel en een politiefotograaf aan het werk. Het lijk in de tandartsstoel is afgedekt. Op de grond ligt een grote plas bloed. Louise knikt dat ze

Hökbergs gezicht wil zien. Hij is recht door zijn mond geschoten. In zijn hand houdt hij een pistool. Louise wordt acuut misselijk en loopt snel naar buiten. Tornman volgt haar op de voet.

Buiten zijn politiemensen bezig de straat af te zetten voor nieuwsgierige omstanders.

'Wat is er gebeurd?' vraagt Louise.

'Zelfmoord. Iets anders kan het niet zijn', zegt Tornman stellig.

'Maar waarom?'

'Dat moet je mij niet vragen. Er zijn zoveel redenen waarom mensen er een eind aan maken. Dat zou jij toch moeten weten.'

Tornman doelt duidelijk op Louises vader. Ze reageert hier niet op, maar loopt gewoon weg. Tornman kijkt haar na.

196

Wanneer Louise haar kantoor binnenstapt, gaat de telefoon. Ze neemt de hoorn van de haak, maar drukt die meteen weer in en laat de hoorn naast het toestel liggen. Zonder haar jas uit te trekken gaat ze achter haar bureau zitten, nog steeds geschokt. Ze kijkt naar de lade waarin de wodka staat, trekt hem open en leegt een van de flesjes. Er wordt aangeklopt en ze zet snel het flesje terug, maar kan geen mintpastilles vinden. Er wordt weer geklopt.

'Kom binnen!'

Love staat in de deuropening, nog steeds in zijn zeilpak.

'Het was een heerlijk boottochtje.'

'Hökberg is dood.'

'Wat zeg je verdomme nou?'

'Hij heeft zelfmoord gepleegd.'

'Is er volgens jou een verband?'

'Ik weet het niet. Ik begrijp geloof ik steeds minder van wat er allemaal gebeurt. Het is net of je denkt dat je op open zee vaart, maar opeens blijk je midden in een moeras te zitten.'

'Ik heb een raampje gevonden dat openstond.'

'Kunnen we niet naar buiten gaan? Ik heb frisse lucht nodig.'
'Jazeker.'

197

Louise en Love wandelen in het stadspark.

'Het was geen klein huisje, het was een luxe villa. Er was een geavanceerde computerinstallatie, maar het is me niet gelukt om daarin te komen. Je moest allerlei wachtwoorden intypen en beveiligingen passeren en daar kwam ik niet doorheen. Op het bureau lagen wat papieren, maar er stond niets in over Ingemarsson. Niets wat voor ons eigenlijk interessant leek.'

'Niets?'

'Nee, voorzover ik het kon zien niet. Wat denk je dat er gebeurd zou zijn als ze mij hadden ontdekt? Een officier van justitie die een inbraak pleegt? Daar dacht ik later aan en het koude zweet brak me uit. Ik dacht: wat ben ik in godsnaam aan het doen?'

'Je hebt het zelf aangeboden.'

'Dat weet ik.'

Louise blijft opeens staan.

'Ik heb het gevoel dat Bengt Ingemarsson weet dat wij op dit moment in dit park lopen.'

'Hoe zou hij dat kunnen weten? Als hij tenminste nog leeft?'

'Dat weet ik niet. Maar het is alsof hij voortdurend aanwezig is. Hij krijgt informatie. Hij staat nog steeds aan het roer. En hij verplaatst zich, hij blijft de hele tijd in de schaduw. En wij kunnen hem niet vinden.'

'Misschien wordt het tijd om hiermee te stoppen. Voordat je de controle helemaal verliest.'

'Wat bedoel je daarmee?'

'Ik zeg dit tegen je als vriend.'

'Waar gaat dit over?'

'Het is halftien 's ochtends. En jij ruikt naar drank, Louise.'

204

'Dat doe ik helemaal niet.'

'Ik zeg het nog steeds als vriend. Het is niet normaal dat een jonge vrouwelijke officier van justitie flessen alcohol in haar bureau heeft staan. Dat is het voor een mannelijke officier van middelbare leeftijd trouwens ook niet. Maar toch.'

'Ik snap niet waar je het over hebt. En mijn privé-leven gaat je geen donder aan.'

Louise loopt woedend weg.

198

Louise komt uit haar werkkamer. Ze gaat een wc binnen en giet de wodkaflessen leeg. De lege flessen neemt ze mee terug naar haar kantoor, maar ze weet niet wat ze ermee moet doen. Ze pakt een paar stukken papier uit haar prullenbak, spreidt die op de grond uit en slaat dan een fles kapot tegen de marmeren vensterbank. De scherven schuift ze op het papier, ze vouwt dat op en legt het in de prullenbak. Daarna gaat ze roerloos voor zich uit zitten staren.

199

Louise is naar Edvins huis gereden. Hij is bezig een extra steun onder zijn caravan te zetten.

'Binnenkort gaat het serieus sneeuwen. Dat zit in de lucht.'

'Bengt Ingemarssons tandarts heeft zelfmoord gepleegd.'

'Hökberg?'

'Ze hadden het zo goed uitgedokterd. Ergens een schedel op de kop tikken. Dat is niet zo moeilijk. Daarna heeft Hökberg het gebit gefotografeerd en die foto's in zijn archief onder de naam van Ingemarsson ingevoegd. Maar ze wisten niet dat een patholoog-anatoom het verschil kan zien tussen de schedel van een man van veertig en van iemand die ouder is. Dat was hun enige fout.'

'Is het zo gegaan?'

'Een andere verklaring is er niet. Ingemarsson moet iets hebben gehad waar hij Hökberg op kon pakken. Misschien had Hökberg schulden. Niet iets wat wij kunnen bewijzen.'

'Maar betekent dat dan dat Ingemarsson nog leeft?'

'Zelfs dat is niet zeker. Hij kan natuurlijk ergens anders zijn overleden.'

'Dat geloof je zelf niet.'

'Nee. Wist je trouwens dat papa geld in Ingemarsson had geïnvesteerd? En dat is kwijtgeraakt?'

'Ja.'

'Waarom heb je dat nooit verteld?'

'Jij vroeg er niet naar. Ik dacht dat je het misschien al wist.'

'"Op een ochtend werd je wakker. En alles was veranderd. Zweden bestond niet meer. Het land dat je meende te kennen. En je wist niet wat er voor in de plaats was gekomen..." Waren dat Henriks woorden?'

'Zo ongeveer.'

Edvin is klaar met het afstellen van de steun onder zijn caravan. Hij recht zijn rug.

'Was dat de reden dat papa het bos in is gelopen?'

'Misschien. Misschien uit schaamte dat hij voor de gek was gehouden. Ik weet het niet. Niemand kan het weten. Maar wanneer een maatschappij snel en hevig verandert, blijft er een groep mensen over die het tempo van de gebeurtenissen niet kan bijbenen. Misschien had hij dat gevoel. Dat de dingen waarin hij geloofde, geen betekenis meer hadden.'

Louise loopt in de richting van haar auto. Edvin volgt haar.

'Je moet voorzichtig zijn, Louise. Ik hoop dat je dat begrijpt.'

Louise snapt wat hij probeert te zeggen. Ze heeft hier zelf nog niet eerder aan gedacht. Ze kijkt naar Edvin, die een van zijn katten aanhaalt. Net wanneer ze in haar auto wil stappen ziet ze dat er iets aan een van de banden geplakt zit. Ze pakt het op en veegt het schoon. Het is een van de foto's. Onder andere het gezicht van Bengt Ingemarsson is erop te zien. Ze stopt de foto in haar zak en stapt in.

200

Louise rijdt door het herfstlandschap. Ze komt aan bij de vissershaven. Daar ligt het vaartuig van de kustwacht. Opeens stapt er een man uit de stuurhut.

'Zoek je iemand?'

'Nee. Ik wil hier even een luchtje scheppen.'

'Ik vroeg het me gewoon af.'

'Kom jij hier vandaan?'

'Ik ben op Brytholmen geboren.'

'Was je vader soms visser? En joeg hij op zeehonden?'

'Mijn grootvader hield zich vooral met zeehonden bezig. Maar dat was al zo'n beetje voorbij toen mijn pa aan het werk moest.'

'Het moet moeilijk zijn om hier de eindjes aan elkaar te knopen.'

'Ik heb geluk gehad. Op de eilanden is niets. En de vis is natuurlijk helemaal verdwenen.'

'Hoe heet je?'

'Leif.'

Louise krijgt opeens een idee. Ze pakt de foto die ze bij Edvin heeft gevonden.

'Herken je iemand van deze mensen?'

'Dat is Bengt Ingemarsson.'

Louise observeert hem aandachtig.

'Wanneer heb je hem voor het laatst hier gezien?'

'Dat weet ik niet meer. Maar dat moet geweest zijn toen hij nog leefde. Ze hebben daar bij Ledskär toch een stuk van hem gevonden?'

'Misschien…'

Leif wijst op de foto.

'Maar die daar heb ik een paar uur geleden nog gezien. Toen voer hij de zee op. En hij had ontzettend veel haast.'

Louise ziet dat Leif Mats Hansson aanwijst. Ze fronst haar voorhoofd en pakt de foto. Haar energie keert terug.

'Bedankt voor de informatie.'

'Graag gedaan hoor.'

Louise rijdt tegen de rijrichting in van de kade af. Leif kijkt haar na. De zee is erg grijs.

201

Louise is op haar kamer weer met haar diagram bezig. In de kantlijn schrijft ze Mats Hanssons naam. Love verschijnt in de deuropening.

'Stoor ik?'

'Nee.'

'Ik was nog iets vergeten. Op dat bureau in het huis op Hundö lagen wat verzendbewijzen van het koeriersbedrijf DHL. Voor verzendingen naar Denemarken.'

'Wat voor geadresseerde stond erop?'

'De naam van een bedrijf op Sjælland.'

Louises aandacht verscherpt.

'Denemarken?'

'Ja.'

'Stond er geen naam op?'

'Die was onleesbaar.'

Louise denkt na.

'Dat wou ik je nog even zeggen.'

Love wacht af of Louise misschien nog wil terugkomen op wat er eerder die dag is gebeurd, maar ze is alweer met haar diagram bezig en Love verdwijnt.

Louise pakt een van Edvins foto's. En daarna nog een. Bengt Ingemarsson staat erop. En Henrik. Een man die helemaal in de hoek van de foto staat interesseert haar echter opeens het meest. Ze zoekt een vergrootglas en gaat bij het raam staan om te kijken. Nu verschijnt het beeld van Tornman. Louise fronst haar voorhoofd. Ze schrijft 'Tornman' in de kantlijn van haar flap-over en kruist de naam 'Hökberg' door.

Dan neemt ze een besluit, pakt haar jas en verlaat haar kamer.

202

Louise is in het gemeentehuis. Ze opent de deuren van de grote vergaderzaal. Het is er verlaten. Henrik zit alleen in de grote ruimte.

'Ben jij het? Wat een verrassing.'

'Stoor ik?'

'Helemaal niet. We hebben zo dadelijk een begrotingsvergadering. Ik probeer me even af te zonderen. Om iets geniaals te bedenken. Hoe je een begroting rond krijgt. Ook al kun je die niet rond krijgen.'

'Proberen helderheid te krijgen over waar Bengt Ingemarsson zich bevindt, als hij tenminste nog leeft, is net zoiets.'

'Ben je daar nou nog steeds in aan het wroeten?'

'Alleen in het geheim. Ik krijg anonieme brieven. Ik word in een winkel aangevallen door Bengt Ingemarssons vroegere vriendin. Overal stuit ik op tekens dat er veel mensen tegen zijn dat Bengt Ingemarssons huzarenstukjes opnieuw onderzocht worden. Er zijn te veel mensen die willen dat de waarheid niet boven tafel komt. Wie zijn die mensen die dat niet willen? Dat ben ik van plan uit te zoeken.'

'Maar wat is eigenlijk de reden om weer in die oude bagger te graven?'

'Wat denk jij?'

'Dat heb ik al gezegd. Het is gewoon verspilde moeite.'

'Dus dat moeten we gewoon vergeten?'

'Ja. Ook al ben ik het met je eens dat het niet goed is voor de rechtsstaat.'

'Niet goed voor de rechtsstaat. Het gaat niet eens meer om Bengt Ingemarsson zelf. Het gaat om de mensen op de achtergrond. De mensen die Bengt Ingemarsson mógelijk hebben gemaakt. En die zijn bang dat ze ontmaskerd zullen worden.'

'Het gaat waarschijnlijk vooral om het feit dat je vader bedrogen werd. En dat hij dat niet aankon. Dat hij het bos in liep en zelfmoord heeft gepleegd.'

Louise staart Henrik aan.

'Wist jij daarvan?'

'Dat hij geld in Ingemarsson had gestoken? Natuurlijk wist ik dat. Dat wist waarschijnlijk iedereen.'

'Ik niet.'

Henrik is nu op zijn beurt in verwarring.

'Weet je wat voor hem het ergst moet zijn geweest?' vervolgt Louise. 'Ik geloof nooit dat hij Bengt Ingemarsson heeft vertrouwd. Hij vond hem vast een avonturier. Maar hij geloofde in júllie. Hij geloofde in iedereen die zich achter Ingemarsson schaarde. Iedereen die zei dat de stad ervan zou opbloeien. Nieuwe werkgelegenheid. Hij geloofde in jullie. Jullie stonden garant.'

'Je moet mij hier niet in betrekken.'

'Je bent er al bij betrokken. Je was destijds nog geen wethouder, maar je stond er wel achter. Je zat in de gemeenteraad. En in het bestuur van de bank.'

'Ingemarsson heeft mij net zo goed om de tuin geleid.'

'Daar geloof ik niets van.'

'Maar zo was het wel.'

Er valt een stilte. Even weet geen van beiden die te doorbreken. Dan neemt Louise het initiatief. Ze opent haar aktetas en haalt er een selectie van Edvins oude en nieuwe foto's uit.

'Wil jij deze foto's eens bekijken? Kijk eens welke mensen je herkent. En welke je niet herkent.'

'Degenen die ik herken, ken jij ook. Maar die anderen… Dat weet ik niet. Onbekende gezichten.'

Louise wijst zomaar een gezicht aan.

'Die daar bijvoorbeeld?'

'Die heb ik nog nooit van mijn leven gezien.'

'Doe eens een poging. Het kan belangrijk zijn.'

'Laat die foto's maar hier. Ik heb op dit moment geen tijd.'

'Neem ze maar mee naar huis.'

Er beginnen mensen de vergaderzaal binnen te stromen.

'Wordt het vanavond laat?'

'Nou niet boos worden. Ik weet het niet. Het kan laat worden.'

'Ik word niet boos.'

Henrik geeft toe aan een impuls en zet opeens zijn microfoon aan. Zijn woorden echoën door de vergaderzaal: 'Ik hou van je. Vergeet dat niet.'

Louise is verrast en ze geneert zich. Ze verlaat de vergaderzaal. Wanneer ze naar buiten loopt, toetst ze op haar mobiele telefoon een nummer in.

'Met officier Rehnström. Zeg tegen Tornman dat ik eraan kom. Ik wil hem spreken.'

203

Mats Hansson staat in de computerkamer op Hundö rond te kijken. Is er iets weg? Iets veranderd? Dan zet hij een computer aan en er verschijnt een tekst op het beeldscherm: 'Poging tot inbraak 09.22 uur.' Mats Hanssons gezicht vertrekt in een grimas.

Hij loopt naar een verborgen videocamera en haalt er een cassette uit. Die stopt hij in de recorder en hij zet een televisie aan. Love verschijnt op het beeldscherm. Mats Hansson kijkt nu zeer ernstig.

204

Louise gaat bij het politiebureau naar binnen. Tornman komt haar in de gang tegemoet.

'Ik moet eigenlijk uitrukken.'

'Wat is er gebeurd?'

'Een inbraak in een kiosk.'

'Als er geen kernwapens in die kiosk lagen, moet het maar wachten.'

Ze benen door de gang naar een vergaderkamer. Louise begint te praten nog voordat ze is gaan zitten. Ze is gespannen.

'Die patiëntenkaarten! Wat is er eigenlijk gebeurd? En Hök-bergs zelfmoord. Geen twijfels? Had Ingemarsson een tandarts in Stockholm? Weet jij meer over Hökberg Trading? Wie heeft Edvins huis in brand gestoken? Wat is er aan de hand?'

'Waar wil je dat ik begin?'

'Ik vind het politieonderzoek naar deze vragen slecht. En daar ben jij verantwoordelijk voor.'

'Als je klachten hebt, dan stel ik voor dat je je rechtstreeks tot de hoofdcommissaris wendt. Dan zal ik op mijn beurt de hoofd-officier van justitie benaderen.'

'Maar er gebeurt toch niets? En waarom is er bij ons ingebro-ken? Wat voor verband kan er zijn tussen de diverse dingen?'

'Niets wijst op een verband.'

'Onzin.'

Louise begint Tornman opeens met andere ogen te bezien. Ze is op haar hoede.

'Eigenlijk wil ik nog iets met je bespreken. Roger Färnström.'

'Wat is daarmee?'

'Hoe komt het eigenlijk dat de politie die knuppel waarmee hij mensen neersloeg nooit heeft gevonden?'

'Waarschijnlijk omdat er nooit zo'n knuppel is geweest.'

'Maar er zijn toch allerlei mensen die hem hebben gezien? Niet in de laatste plaats degenen die ermee werden neergeslagen.'

'De informatie liep uiteen. Het was donker, het ging snel. Wij hebben geen knuppel gevonden, waarschijnlijk omdat er geen was. Hij zal zijn vuisten wel hebben gebruikt.'

'Färnström is in dit verband een interessante figuur.'

'Vind je? Voor mij is het een klootzak en ik hoop dat jij hem een tijdje opbergt.'

'Dat ben ik met je eens. Maar in het onderzoek naar Bengt Ingemarsson duikt hij bij verschillende gelegenheden op. Hij speelt geen opvallende rol, maar hij is er wel. Een tijdlang is hij Ingemarssons chauffeur. Hij beheert ook een tijdje wat onroerend goed voor Ingemarsson. Dan is hij een poosje verdwenen, daarna duikt hij weer op. Vaak in gezelschap van Mats Hansson. Weer als chauffeur.'

'Waar laat jij je eigenlijk door leiden?'

'Verbanden. Waarom lukt het niet om in Bengt Ingemarssons wereld door te dringen? Hoe komt het dat ik de hele tijd het gevoel heb dat de sporen worden uitgewist?'

'Neem me niet kwalijk…'

'Tegen mij mag je gewoon zeggen wat je denkt!'

'Is dat zo? Het komt maar heel weinig voor dat dat mag.'

'Tegen mij wel.'

'Ik vind dat je dit onderzoek moet neerleggen. We kunnen er waarschijnlijk wel van uitgaan dat die schedel niet van hem is. Ook al wordt het door Hökbergs dood moeilijk om dat te bewijzen. Maar als Ingemarsson nog leeft, dan loopt er tegen hem nog steeds een opsporingsbevel. Totdat we hem eventueel te pakken krijgen, is al het andere dat we doen zinloos. Dat gaat alleen ten koste van belangrijker zaken.'

Louise neemt hem zwijgend op. Dan knikt ze.

'Je hebt natuurlijk gelijk. Met mijn aanpak komen we nergens.'

Tornman is verbaasd dat het zo gemakkelijk was om haar te overreden, maar hij is ook opgelucht.

'Mettertijd komen we er misschien nog wel achter wie de dode op Ledskär was en wat er is gebeurd.'

'Wat vind jij van die brand in Edvins huis?'

'Daar moet een natuurlijke verklaring voor zijn. Die hebben we alleen nog niet gevonden.'

Louise staat op.

'Nog één ding. Ik zou graag willen dat wij een gesprek hebben met Mats Hansson.'

'Om welke reden?'

'Laten we het een laatste poging noemen om helder te krijgen wat er gebeurde vlak voordat Ingemarsson verdween. We weten dat hij Mats Hansson heeft gesproken. Laten we gewoon in alle eenvoud een gesprek hebben. Voordat we het allemaal voorgoed neerleggen.'

'Ik zal het regelen.'

Dit ontlokt Louise een reactie.

'Denk je dat dat zo gemakkelijk gaat?'

'Helemaal niet. Ik zei alleen dat ik het zal regelen.'

'Mooi. En blijf maar zitten; ik kom er wel uit.'

205

Louise verlaat het politiebureau. Bij haar auto staat Lena Nordgren.

'Hoe wist je dat ik hier was?'

'Ik zag je naar binnen gaan. Ik had gedacht dat we een afspraak zouden kunnen maken.'

'Waarom nu niet?'

'Wil je koffie?'
'Nee. We gaan ergens naartoe waar we rustig kunnen praten.'
'Dan weet ik wel een plek.'

206

Ze lopen naar de kerk, waar natuurlijk niemand is.

'Ik zou jouw verhaal wel eens willen horen. Over Bengt Ingemarsson. En alles wat er is gebeurd.'

'En dan kun jij schrijven hoe incompetent ons rechtswezen is. Hoe incompetent de officieren van justitie zijn.'

'Dat was echt niet mijn bedoeling.'

'Volgens mij kijk jij neer op wat wij doen. Oude juryleden die zitten te slapen. De zorgvuldige afweging van de feiten. Liever in vrijheid stellen dan veroordelen. Ik zag het aan je.'

'Ik snap niet waarom je zo kwaad bent. Waarom op mij?'

'Ik ben niet kwaad, maar de dingen waarmee ik me bezighou zijn moeilijk. Het opsporen van mensen die zich aan economische delicten schuldig maken. Dat is moeilijk. En volgens mij begrijp jij dat niet. Volgens mij begrijpt niemand dat.'

Opeens begint het orgel te denderen. De organist is aan het repeteren. Ze staren omhoog naar het orgel.

Louise moet schreeuwen om de muziek te overstemmen.

'Misschien kunnen we voor morgenmiddag op mijn kantoor een afspraak maken. Als je nog steeds belangstelling hebt.'

Snel verlaat ze de kerk. Lena Nordgren blijft staan.

207

's Avonds zit Henrik thuis achter zijn bureau. Hij pakt een pen en neemt de foto's door. Af en toe zit hij onbewust met zijn pen te tikken of te duwen op een van de foto's. Er slaat een deur dicht en vlak daarna komt Louise de kamer binnen. Henrik schudt zijn hoofd.

'Niets?'

'Nee.'

Hij legt de foto's op een stapeltje.

'Het is al twaalf uur geweest. Waar ben je eigenlijk mee bezig? Wat denk je dat er zou gebeuren als ik net zo jaloers was als jij?'

'Dat is nu voorbij.'

'Maar later? Wanneer het weer de kop opsteekt? Ik zit met zoveel vragen.'

'Wat voor vragen dan?'

'Over ons. Wacht even.'

Hij verlaat de kamer en komt weer terug met een flesje in zijn hand.

'Weet je wat dit is?'

'Nee?'

'Een spermamonster. Maar moet ik het inleveren of niet? Ik begin te twijfelen.'

'Als dit achter de rug is, beloof ik je dat alles anders wordt.'

'Wat moet er achter de rug zijn?'

'Dit met Ingemarsson.'

Henrik smijt het flesje op de grond zodat de scherven in het rond vliegen.

'Maar het is al achter de rug! Hij is er niet. Je zult hem nooit te pakken krijgen.'

'Ik begin nu te begrijpen waarom ik hem niet te pakken krijg. Omdat er zoveel mensen zijn die dat niet willen, die een kordon om hem heen vormen om hem te beschermen. Hoe zit dat met jou?'

'Wat denk je nou eigenlijk?'

'Ik weet het echt niet. Ik dacht dat ik het wist, maar nu weet ik het niet meer.'

'Ik had ook niets liever gewild dan dat hij zijn straf zou krijgen.'

Ze kijken elkaar aan. Louise weet niet of ze hem wel of niet moet geloven.

208

Een paar dagen later komt Mats Hansson vergezeld van zijn advocaat aan bij het politiebureau. Ze lopen naar een vergaderkamer, waar Tornman en Louise al zitten te wachten. De sfeer is kil.

'We hebben geen verborgen agenda bij dit gesprek. Wat we willen, is proberen helderheid te brengen in wat er gebeurde toen Bengt Ingemarsson verdween', zegt Louise zo neutraal mogelijk.

'Het is pure hoffelijkheid dat directeur Hansson en ik hiernaartoe zijn gekomen', zegt de advocaat. 'Maar we begrijpen niet wat de heer Hansson aan deze zaak zou kunnen bijdragen.'

'Meneer Hansson heeft eerder aangegeven dat hij Ingemarsson een paar dagen voordat deze verdween nog heeft ontmoet.'

'Daar valt niets aan toe te voegen.'

'Ik zou een paar vragen willen stellen met betrekking tot het onroerend goed, kadastraal bekend als Hundö 1:12. Volgens het kadaster is dat in het bezit van een bv genaamd Atrium. En alle aandelen staan geregistreerd op naam van de heer Hansson.'

Louises woorden komen als een totale verrassing voor zowel Tornman, Hansson als diens advocaat.

'Ik begrijp dit geloof ik niet helemaal', zegt Tornman.

De advocaat gaat in de tegenaanval.

'Omdat de bv een zelfstandig rechtspersoon is, kun je niet zeggen dat de heer Hansson eigenaar van het onroerend goed op Hundö is.'

Mats Hansson steekt zijn hand op ten teken dat de advocaat moet stoppen.

'Ik heb het huis in 1991 gekocht.'

'Van wie?'

'Van een reisbureau genaamd Exklusiv.'

'Wie was de eigenaar van die onderneming?'

'Bengt Ingemarsson.'

'Ik heb horen vertellen dat Bengt Ingemarsson zijn zakenpartners daar regelmatig bij elkaar liet komen.'

De advocaat doet zijn mond open om te protesteren, maar Mats Hansson legt hem weer het zwijgen op.

'Dat is volledig juist.'

'En was u daar ook bij?'

'Niet altijd. Maar soms wel. Ik zorgde er bovendien voor dat er in elke kamer lichtblauwe gordijnen hingen.'

'Waarom?'

'Bengt vond dat er in een oud huis aan de scherenkust lichtblauwe gordijnen hoorden te hangen.'

'Wat gebeurde er eigenlijk op die bijeenkomsten?'

'Ik protesteer hiertegen', zegt de advocaat. 'Wij zijn hier om heel andere redenen naartoe gekomen.'

'Dat geeft niets. De dienaars van de rechtsstaat besteden hun tijd kennelijk aan belangrijke zaken. Bengt wilde zijn naaste medewerkers om zich heen hebben. Hij noemde dit zijn "Hoogmis". Daar moesten we plannen maken voor de nabije toekomst. Maar eigenlijk was Bengt de enige die aan het woord was. Hij kon uren doorgaan. Uitweiden. En de rest luisterde gehoorzaam.'

'Wie waren die medewerkers?'

'Mensen uit bijna de hele wereld. Er moet daar nog een register liggen. Bengt zag er zorgvuldig op toe dat iedereen er iets in schreef. Het was zijn gastenboek. Zo noemde hij dat. "Hundö's gastenboek".'

'En dat is er dus nog?'

Mats Hansson pakt een sleutelbos en haalt er een paar sleutels af.

'U mag er best naartoe gaan om het boek op te halen. Het ligt op een tafel naast de voordeur. Maar u moet wel van tevoren even zeggen wanneer u gaat, dan kan ik het alarm uitzetten. Hoe dan ook, uw collega weet daar de weg. Hoe heet hij ook alweer? Love? Love Egnell? Is het niet?'

Mats Hansson kijkt Louise strak aan. Dan staat hij op om weg te gaan. Zijn advocaat snelt achter hem aan.

'Wat was dat nou over Love?' vraagt Tornman.

'Niets…'

Louise staat op en loopt naar het raam. Mats Hansson staat beneden op straat met zijn advocaat.

'Kom eens hier!'

Tornman gaat naast haar staan en ziet dat Hansson zijn mobiele telefoon heeft gepakt.

'Wie denk je dat hij gaat bellen?'

'Hoe moet ik dat weten?'

'Misschien praat hij wel met een man die accountant is. En Mogensen heet…'

Tornman kijkt haar aan.

'Heeft dit opgeleverd wat je wilde?'

'Natuurlijk niet. Het zit potdicht. Overal zit het potdicht. En alle alarminstallaties staan aan.'

209

Louise is naar huis gereden en ligt op bed naar het plafond te staren. Dan gaat ze op de rand van het bed zitten. Ze maakt opeens een futloze indruk. Ze dwingt zichzelf op te staan, loopt de trap af, naar de drankkast en schenkt een glas wodka in. Maar in plaats van het leeg te drinken smijt ze het woedend tegen de muur.

Wanneer Louise bij het OM arriveert, ziet ze opeens Irene Lundin in haar auto zitten. Louise parkeert en loopt naar de auto van Irene. Ze gaat naast haar zitten.

Ze stoppen op dezelfde parkeerplaats buiten de stad als de vorige keer. Het is er erg verlaten.

'Ik heb gehoord wat er met Hökberg is gebeurd. Dat hij zelfmoord heeft gepleegd', begint Irene Lundin.

'Ja.'

'Geloof jij dat?'

'Ik moet geloven wat ik met eigen ogen heb gezien. Hij zat met het pistool in zijn hand.'

'En als zijn weduwe nou beweert dat hij geen wapen in zijn bezit had?'

'Toch kan hij er eentje gehad hebben, waar zij niet van wist.'

'Soms begrijp ik jou niet.'

'Hoe bedoel je?'

'Natuurlijk is hij vermoord. Dit gaat te ver. Zoiets mag niet gebeuren. Dat had Bengt nooit goedgevonden. Het zijn die anderen. De ratten. Zo noemde hij ze altijd. "De ratten". Sluwe diertjes, maar vol luizen. Snap je?'

'Misschien…'

'Bengt verdwijnt. En dan komen de ratten uit hun hol. Hij heeft dat waarschijnlijk zien aankomen. Maar niet dat ze mensen zouden gaan vermoorden. "Hou je vrienden bij je in de buurt. Maar hou je vijanden nog dichter bij je in de buurt." Dat zei Bengt altijd en hij had gelijk. Ze houden hem overal van op de hoogte. Maar wanneer hij weg is, kan hij de gebeurtenissen niet onder controle houden. "Je moet ze bínden", zei Bengt altijd. "Dat is het belangrijkste. Je moet mensen aan je binden. Want mensen zijn informatie." '

'De vorige keer zei je dat je over zijn zaken niets wist.'

Irene negeert haar opmerking en Louise dringt niet aan.

'Bengt wist alles. Hij wist hoe hij zijn haken moest vastslaan. Hen afhankelijk moest maken. Hen van zich afhankelijk moest maken met geld en vertrouwen. Dan kreeg hij daarna alle informatie die hij nodig had.'

'Maar wie helpt hem?'

'Heb je dat niet begrepen? Iedereen. Overal. Mats Hansson nam altijd mensen mee op golfreisjes. Naar de Algarve.'

'Wie dan?'

'Jouw man golft niet.'

'Hij heeft een hekel aan golf.'

'Hoe komt het dat ik dat weet?'

Louise realiseert zich wat het antwoord op die vraag is.

'Omdat hij er nooit bij was op zo'n reis?'

'Bengt hield van zeilen. Hij huurde een boot op de Middellandse Zee. De bemanning werd ingevlogen. Hij zei altijd dat hij advocaten als stuurman had en politiemensen als matroos.'

'Moet ik dit echt geloven?'

'Dat zou je wel moeten doen.'

'Ik heb namen nodig. Bewijzen.'

'Daar moet je zelf voor zorgen. Ik wijs je alleen de juiste koers.'

'Welke kant wijst de naald op?'

'Twee kanten. In de richting die je het minst zou verwachten. En in de richting die je diep in je hart al vermoedt.'

VI

De accountant

Irene stapt in haar auto en slaat het portier dicht. Louise blijft stomverbaasd buiten staan. Dan loopt ze naar de auto toe en opent het portier aan Irenes kant.

'Een Deense accountant…'

'Bedoel je Mogensen? Het Mirakel. Zo noemde Bengt hem. "Het Mirakel".'

'Die hebben we niet te pakken gekregen.'

'Dat is geen wonder. Hij trok zich altijd terug naar het einde van de wereld wanneer het te roerig werd. Tot alles weer tot rust gekomen was.'

'Waar ligt dat, het einde van de wereld?'

'Pitcairn Island.'

'Daar heb ik over gehoord.'

'*De muiterij op de Bounty?*'

'Ik herinner me het boek. Met kapitein Bligh. En stuurman… Fester?'

'Fletcher. Ze zeilden met de Bounty naar een verlaten eiland. Pitcairn Island, midden in de Stille Zuidzee. Langs de magische breedtegraad. Daar wonen hun nazaten nu nog, en er is een hotelletje. Je kunt er vanuit Tahiti naartoe vliegen of vanuit Chili de boot nemen. Adam's Hotel. Daar ging Mogensen naartoe.'

'Jezus christus…'

'Nee! Niet "jezus christus"! Het was een spel. Bengt moest er voortdurend om lachen. Hij en Mogensen moesten lachen. Ze zeiden: "We hebben in deze maatschappij grote muiterij gepleegd. En we hebben de burgers in een reddingsboot gezet. Net als kapitein Bligh. En dan zien we wel hoe ze zich redden." En dan moesten ze weer lachen. Maar Mogensen is vast terug in Denemarken. Het kost hem altijd moeite om lang uit Denemarken weg te blijven.'

'Heb jij hem ontmoet?'

'Nooit.'

'Heb je een foto van hem gezien?'

'Nee.'

'Waar is hij?'

'Bengt zei dat hij in een geel huis achter het hotel in Gilleleje woonde. Maar kom, we gaan.'

'Hoe komt het dat je dit allemaal weet? Als Bengt je niets over zijn zaken vertelde?'

'Ik luisterde stiekem. Ik wroette. Ik wilde dingen weten. Ik was destijds net zo nieuwsgierig als jij nu.'

Irene start de motor en ze rijden weg.

'Als iemand ernaar vraagt, heb ik niets gezegd. Ik heb je zelfs niet ontmoet.'

'Waarom zou je iemand ontmoeten die je een klap heeft gegeven?'

'Nee. Precies. Waarom zou ik met iemand als jij afspreken?'

Ze begint te giechelen en even ontstaat er een moment van vertrouwelijkheid. Ze rijden door een landschap dat steeds herfstachtiger wordt. De winter is nabij. Bossen, kust, eenzame eilanden.

213

Bij de rechtbank rent Louise achter Love aan om hem in te halen.

'Wat stond er op dat verzendbewijs van het koeriersbedrijf dat je op Hundö hebt gezien?'

'De naam kon ik niet ontcijferen. Maar het was op Sjælland.'

'Stond er geen plaatsnaam op?'

'Die was ook onleesbaar.'

'Ik moet nu weg. Maar Mats Hansson weet dat jij op Hundö bent geweest.'

Love kijkt haar niet-begrijpend na.

Louise gaat de plaatselijke kantoorboekhandel binnen, zoekt een rek met wegenkaarten en vindt een kaart van Denemarken. In het noorden van Sjælland vindt ze Gilleleje, maar ze slaagt er daarna niet in de kaart weer netjes op te vouwen. Van achter de toonbank neemt de eigenaar haar met een afkeurende blik op.

Louise rijdt naar de vuilstortplaats. Daar staat Henrik met een stel gemeenteambtenaren. Ze lijken verdiept in een aantal tekeningen en dragen een helm. Henrik ziet Louise en verontschuldigt zich.

'Is er iets gebeurd?'

'Nee. Waarom draag je een helm?'

'Zodat ik niet door een kraai word ondergescheten. Ik weet het niet. Een of ander idioot voorschrift. Maar wat kom je doen?'

'Ik ben van plan naar Kopenhagen te gaan.'

'Waarom?'

'Ik moet er even tussenuit. Een dag. Niet langer.'

'Weet je zeker dat je niet wilt dat ik meega?'

'Ik ga alleen, Henrik. Geen discussie. Een dag en misschien een nacht. Ik moet nadenken. En dat is beter voor ons.'

'Dan vind ik dat je moet gaan. Zo snel mogelijk.'

Ze omhelzen elkaar haastig, maar hij begrijpt haar niet.

Louise rijdt de veerboot in Helsingör af. Ze laat de stad achter zich en vervolgt haar weg in noordelijke richting langs de kust. Het weer is grijs en triest, misschien zit er sneeuw in de lucht. Terwijl ze rijdt, gaan er allerlei stemmen en herinneringen door haar hoofd. Van toen ze officier van justitie werd. Van toen ze trouwde. Van toen haar vader verdween. Van toen Bengt Ingemarsson werd vrijgesproken.

217

Louise arriveert in Gilleleje en vindt zowel het hotel als het gele huis meteen. Ze stopt bij het hotel en werpt een blik op het huis. Er is geen mens te zien. Ze loopt naar het strand achter het hotel, dat vol keien ligt. Ergens klinkt een misthoorn.

Dan loopt ze naar het huis en belt aan. Er wordt niet opengedaan. Ze noteert de naam van de straat en het huisnummer. Ze loopt naar de receptie in het hotel, vraagt om een telefoonboek en zoekt de naam Mogensen op. Die staat er niet in op dit adres in Gilleleje. Opeens weet ze niet goed meer wat ze nu zal doen.

Besluiteloos checkt ze in het hotel in en ze krijgt een kamer op de tweede etage toegewezen. In de gang lopen mensen die onmiskenbaar de indruk maken dat ze hier zijn ondergebracht als vluchteling. Ze gaat haar kamer binnen. De zee en het gele huis zijn door het raam zichtbaar. Ze haalt een wodkaflesje uit de minibar, opent het en lurkt het leeg.

Later op de avond ligt Louise op bed. Alle flesjes uit de minibar zijn leeg en liggen verspreid op het dekbed. Ze krijgt een plotselinge aandrang om op te staan en loopt naar het raam.

Het gele huis lijkt verlaten. Net wanneer ze van plan is naar het bed terug te keren ziet ze een taxi aankomen, die voor het huis stopt. Even later komt er een man het huis uit. Hij neemt plaats in de taxi en de wagen rijdt weg. Als een speer rukt Louise haar jas van de kapstok en ze rent naar de receptie.

'Ik heb een taxi nodig.'

'Komt in orde.'

De taxi arriveert en Louise werpt zich naar binnen.

'Er stopte net een taxi voor dat gele huis. Ik had mee zullen rijden, maar ik was te laat.'

'Dat was Mogensen, die naar het visrestaurant moest.'

Louise schrikt. Eindelijk zit ze op het goede spoor.

'Inderdaad. Daar zouden we heen gaan.'

'Wilt u dat ik hem oproep en zeg dat u onderweg bent?'

'Nee, dank u wel, dat hoeft niet.'

De taxi rijdt met gierende banden weg.

De auto stopt voor een visrestaurant buiten het dorp. Louise betaalt en gaat naar binnen. Er zijn veel mensen en de stemming is feestelijk. Ze hangt haar jas weg en wordt naar een lege tafel begeleid. In het midden van het restaurant staat een groot buffet met schaaldieren opgesteld. Louise bestelt mineraalwater.

Dan ziet ze Mogensen. Of in elk geval zijn rug. Hoe ze hier zo zeker van kan zijn weet ze niet, maar hij is het. Ze heeft zich niet vergist. Mogensen staat op. Wanneer hij zich omdraait, blijkt het vermoeden dat Louise de laatste dagen heeft gehad juist te zijn. Het is Bengt Ingemarsson die daar staat. Of Mogensen. Of allebei.

Hij loopt naar het buffet en schept eten op zijn bord. Hij wisselt enkele woorden met een andere gast en lacht. Een brede lach. Precies zoals op alle foto's. Hij keert terug naar de hoektafel, waar hij alleen zit. Louise loopt naar het buffet en schept nerveus eten op.

Ze eet haar bord leeg en wacht af. Wanneer Mogensen naar het buffet terugkeert, loopt Louise er ook snel naartoe en gaat naast hem staan.

'Zo'n buffet heb ik volgens mij nog nooit gezien.'

Louise gooit al haar charme in de strijd, maar Ingemarsson is meteen op zijn hoede.

'Het eten is hier goed.'

'De laatste keer dat ik u zag, was u een schedel op een rotseilandje.'

Ingemarsson weet de schijn goed op te houden, maar hij heeft haar nu herkend. Waarschijnlijk van een foto die Mats Hansson hem gestuurd heeft. Hij doet zich echter onwetend voor.

'Dat klinkt interessant. En wie bent u, behalve dat u springlevend bent?'

'Ik ben officier van justitie en mijn naam is Louise Rehnström. Volgens mij kent u mijn man, die wethouder is. Ook al was hij dat destijds niet. Henrik Rehnström.'

'Ik begrijp niet goed waar u het over hebt. Sorry, maar ik denk dat u mij met iemand anders verwisselt.'

Louise geeft hem een van de foto's die ze bij zich heeft.

'Dit bent u toch, nietwaar? Maar maakt u zich geen zorgen. Ik wil alleen maar even met u praten.'

Ingemarsson kijkt om zich heen. Louise ziet dat.

'Ik ben hier alleen. Er zit hier nergens een fotograaf verborgen. Ik heb gewoon zin om met u te praten. En van dit fantastische schaaldierbuffet te genieten.'

Ingemarsson knikt. Louise geeft de ober een teken dat ze bij Ingemarsson aan tafel gaat zitten. Haar mineraalwater wordt daarnaartoe gebracht. Ingemarsson drinkt een dure wijn.

'Ik ga u nu bij uw borsten pakken.'

Louise is niet op haar achterhoofd gevallen. Ze glimlacht.

'U mag best voelen, maar ik heb geen bandrecorder op mijn lichaam.'

'Waar wilt u het over hebben?'

'Bengt Ingemarsson is dood. Of beter gezegd: Mogensen is dood.'

Hij neemt haar op. Iets in haar directe manier van doen spreekt hem wel aan.

'Dat wist ik niet. Wat is er gebeurd?'

'Dat weet ik niet.'

'Ik wist dat hij op reis was gegaan.'

'Is hij nooit bij u langsgekomen op Pitcairn Island?'

Ingemarsson realiseert zich nu dat Louise goed op de hoogte is.

'Waar wilde u het over hebben?'

'Over het punt waarop de ommekeer kwam. Toen de aanklacht tegen u instortte. Toen u opeens niet meer te pakken was. Het was alsof de kompasnaald plotseling begon te tollen. En u was de magneet die de naald alle kanten tegelijk op trok. De Deense accountant die we nooit te pakken kregen. En die ook niet bestond. Joost mag weten hoe u alle formele kwesties hebt opgelost, maar er vond een totale ommekeer plaats. Het duizelingwekkende imperium van Bengt Ingemarsson was opeens zo ingewikkeld dat niet langer viel te ontwarren wat wat was. Wie eigenaar waarvan was. Welke aktes echt waren en welke vals. Ik weet dat u die Mogensen, die niemand anders was dan uzelf, als "het Mirakel" beschouwde. Maar wat deed u eigenlijk? Hoe ging u te werk? Dat is wat ik wil weten.'

'En waar wilde u die kennis voor gebruiken?'

'Bengt Ingemarsson is verdwenen. We zullen u nooit kunnen pakken. Als ik de Deense politie bel, bent u vertrokken voordat ik heb kunnen uitleggen wat ik wil. Waarom zou je een man veroordelen die in allerlei opzichten al dood is? Laten we zeggen dat het pure nieuwsgierigheid is. Het is altijd goed om erachter te komen waarom je wordt verslagen.'

Ingemarsson is nog steeds op zijn hoede, maar ook een beetje geamuseerd. En gevleid.

'Alle zakelijke activiteiten zijn eigenlijk op een leugen gebaseerd. Die is zo groot dat er zelfs geen waarheid in zit. Of die is zo
klein dat je haar niet ziet. Begrijpt u mij?' vraagt hij.

'Nee.'

'Als je iemand wilt oplichten moet je overtuigend zijn. Als ook
maar het kleinste scheurtje zichtbaar is, zul je niet slagen. Elke
leugen moet met een andere leugen afgedekt zijn. Die op zijn
beurt weer met een leugen is afgedekt. Je kunt de leugen niet
afdekken met de waarheid. Dan wordt de zwendel een fiasco. Als
het om gebakken lucht en bedrog gaat, moet je consequent zijn.'

'De grote leugen…'

'Met de kleine leugen is het anders. Het meeste is waar, maar
hier en daar heb je een punt dat niet waar is, dat zo onopvallend is
dat niemand vermoedt dat het bestaat. Er is een beroemd verhaal
over een van de eerste grote computerzwendels in de vs. Een
bankemployé had de hoofdcomputer van een bank zo gepro-
grammeerd dat op een vrijdag tijdens de laatste minuten voor
sluitingstijd alle bedragen van rekeningen waarop minder dan een
dollar stond naar een eigen rekening op de Caymaneilanden
werden overgeboekt. Het was zo'n onbeduidend detail dat degenen die de veiligheidssystemen van de computers hadden ont-
worpen niet eens op het idee waren gekomen. Maar binnen de
bank had je miljoenen rekeningen. In die paar minuten wist de
bankemployé vele miljoenen te vergaren. Het duurde weken
voordat men überhaupt begreep wat er gebeurd was. En toen
had hij het geld alweer van de Caymaneilanden weggesluisd. Het
gaat erom dat je ziet waar de kleine leugen moet worden ingezet.
Nergens anders om.'

'Dit kun je doen in gesloten systemen. Maar u hebt bv's leeg-
gehaald, illegaal hout gekapt, onder valse voorwendselen en tegen
fictieve onderpanden geld geleend.'

'De grote leugen en de kleine leugen. Je kunt er allerlei variaties
in aanbrengen. Maar in wezen komt het op hetzelfde neer. En
natuurlijk moet je de wet kennen. Even goed als u, liefst nog beter.

En goede contacten hebben met ambtenaren die wijzigingen in de belastingwetgeving voorbereiden.'

'Contacten. Informatie…'

'Dat spreekt vanzelf. En nu ga ik nog wat eten halen.'

Hij staat op. Louise blijft zitten.

Ingemarsson drinkt cognac en Louise koffie. Er zijn nu minder mensen in het restaurant.

'Het gaat om de moraal.'

'Uiteraard. Maar moraal is niet calculeerbaar. Moraal is iets relatiefs. Net als de veranderingen in de lichaamstemperatuur van een mens.'

'U hebt het leven van veel mensen kapotgemaakt, veel mensen die alles zijn kwijtgeraakt. Dit was voor de gewone man in Zweden een van de grootste klappen sinds de Kreuger-krach. Ook al werd ditmaal niet het hele land getroffen. Dáár gaat het om.'

'Gaat het leven daar niet altijd om?'

'De rechtsstaat dient ervoor om dit soort cynisme de kop in te drukken.'

'Er zullen altijd mensen zijn die ervan houden doorsteekjes te maken.'

'De vraag is alleen hoe jullie te pakken zijn.'

'Iemand als ik krijgen ze nooit te pakken. Mijn generatie, wij waren pioníérs. Wij konden al eerder verder kijken dan anderen. We konden onze procedures in alle rust verfijnen. Onze modellen. We hebben een perfecte interpretatie gemaakt van alle wetten en verordeningen die het zakelijk verkeer in Zweden bepalen. "Wij waren specialisten in de handleiding geworden." Want wetten zijn een handleiding. Niets anders.'

'Mijn vader heeft zich tot over zijn oren in de schulden gestoken om wat u deed. Misschien heeft hij om die reden zelfs wel zelfmoord gepleegd.'

Dit laat Ingemarsson niet onberoerd; heel even is er een glimp van onzekerheid in zijn pantser te zien.

'Ik heb geen pistool in mijn zak. Ik ben niet van plan een mes tussen uw ribben te steken. Ik wilde alleen zien hoe u eruitzag. En nu weet ik ook hoe u denkt.'

Ingemarsson legt snel een paar biljetten van duizend kronen op tafel, staat op en gaat zonder een woord te zeggen weg. De kelner nadert.

'Ik wil graag afrekenen.'

'Dit is meer dan genoeg voor u beiden.'

'Hoort u niet wat ik zeg? Ik wil mijn rekening!' zegt Louise ontdaan.

De kelner knikt en loopt weg.

220

Louise is teruggekeerd naar het hotel. Ze ziet dat er in het gele huis geen lichten branden. Ze loopt naar haar kamer en gaat bij de telefoon zitten. Ze aarzelt, maar toetst dan een nummer in.

Ze belt Tornman, die ligt te slapen. Hij wordt wakker en pakt de hoorn.

'Ik heb Ingemarsson gevonden. In Denemarken.'

'Weet je het zeker?'

'Natuurlijk weet ik het zeker. Omdat hij door Interpol gezocht wordt, kan de Deense politie hem oppakken. Heb je een pen, dan kun je het adres opschrijven.'

'Wacht even.'

Tornman gaat rechtop in bed zitten. Hij vloekt in stilte. Hij schrijft niets op.

'Zeg het maar.'

'Stensgæde 3 in Gilleleje. Een geel huis.'

Dat weet Tornman natuurlijk al.

'Tering zeg. En waar zit jij nu?'

'In het hotel er vlak naast.'
'Ik ga ermee aan de slag.'

Het gesprek is afgelopen. Louise staat op en gaat voor het raam staan. Even later gaat in het gele huis het licht aan. Ze knikt zachtjes. Tornman belt dus. Dan zoekt ze het telefoonnummer van de Deense politie op en pakt de hoorn van de telefoon.

221

Diezelfde nacht verlaat Ingemarsson zijn huis via de achterdeur. Daar heeft hij een auto staan.

222

Louise staat voor het raam wanneer een politiewagen bij het gele huis komt aanrijden. Wanneer een agent bij de voordeur aanbelt, kijkt ze op haar horloge en schudt haar hoofd.

223

Louise heeft het hotel verlaten en steekt de straat over naar het gele huis.
　'Wat is er gebeurd?'
　'We hebben een melding gekregen, maar er is hier niemand.'
　'Vast niet.'

Louise loopt terug naar het hotel. De agent kijkt haar nadenkend na.

Laat in de ochtend staat Louise bij de receptie af te rekenen. Net wanneer ze wil weggaan, ziet ze aan de muur een wereldkaart hangen. Met haar vinger zoekt ze Pitcairn Island.

Diezelfde avond is Louise terug in haar woonplaats. Ze parkeert voor een groot huis, doet de lichten uit en blijft zitten. Na een poosje komt Mats Hansson naar buiten. Hij heeft een grote hond bij zich. Ze lopen de straat uit.

Louise stapt uit en belt aan. Een jonge, luchtig geklede vrouw doet open.

'Ik zoek Mats Hansson. Het spijt me dat ik u zo laat op de avond stoor.'

'Hij is de hond aan het uitlaten.'

'Misschien kan ik wachten tot hij terugkomt?'

De vrouw aarzelt. Dan haalt ze haar schouders op en laat Louise binnen. Het huis is stijlvol en met smaak ingericht.

'U kunt hier wel wachten. Als u dat goedvindt.'

'Dank u.'

'Wie bent u?'

'Een van de assistenten van accountant Mogensen.'

De vrouw vertrekt geen spier. Ze heeft de naam Mogensen nog nooit gehoord. Louise ziet haar verdwijnen naar de bovenverdieping van het huis. Wanneer ze alleen is, kijkt ze rond en ze loopt de kamers door totdat ze zich bevindt in wat Hanssons werkkamer moet zijn.

Ondertussen laat Hansson de hond uit. Na een poosje keert hij om en loopt terug naar huis.

Opeens ontdekt Louise, half verborgen onder een bureaulegger, een paar foto's. Tot haar verbijstering ziet ze dat het afdrukken zijn van Edvins foto's, de foto's die ze eerder aan Henrik heeft laten zien. Ze bladert ze snel door. Ze begrijpt het niet. Opeens is er iets wat haar aandacht trekt. Ze neemt snel een besluit en vervangt een foto door eentje die ze in haar handtas heeft. Dan verlaat ze het huis. Wanneer ze wegrijdt, komt Mats Hansson net met zijn hond aan wandelen. Ze zet het groot licht aan zodat hij verblind wordt. Vloekend kijkt hij de auto na.

Mats Hansson gaat naar binnen en slaat de deur dicht. De vrouw roept van de bovenverdieping dat er bezoek voor hem is.

Mats Hansson kijkt om zich heen en loopt naar de woonkamer. Daar is niemand. Hij loopt de trap op naar de grote badkamer. De vrouw ligt in bad. Mats Hansson gaat naar binnen.

'Ik dacht dat je zei dat er bezoek voor me was?'

'Ja.'

'Maar er is hier niemand.'

'Ik heb haar in de hal laten wachten.'

Mats Hansson trekt de vrouw opeens ruw uit het bad omhoog.

'Wíé heb je binnengelaten?'

'Ze zei dat ze een assistente was van accountant Mogensen.'

Mats Hansson begrijpt er niets van. Hij laat de vrouw los en ze valt terug in het bad. Dan loopt hij naar zijn werkkamer en bladert de foto's door om te kijken of er eentje weg is. Alles lijkt echter in orde.

226

Louise rent het OM binnen en doet het licht in de gang aan. Ze gaat aan haar bureau zitten om onder de bureaulamp de foto te bestuderen en die te vergelijken met enkele andere foto's die ze in haar bureaulade heeft liggen. Ze blijft peinzend en geschokt zitten. Opeens gaat de telefoon. Ze schrikt op en pakt de hoorn. Het is Henrik. Hij zit in een vergadering.

'Waarom heb je niets van je laten horen? Waarom staat je mobieltje niet aan?'

'Ik was vergeten hem op te laden.'

'Maar waarom laat je niets van je horen? Hoe was Kopenhagen?'

'Prima, maar het is Helsingör geworden.'

'Helsingör?'

'Ik zit te werken. Kunnen we straks niet praten? Waar zit jij? Ben je thuis?'

'We hebben een afdelingsvergadering van de sociaal-democratische partij.'

'Dan spreken we elkaar straks wel. Dag.'

Louise hangt snel op. Henrik blijft zelf met de hoorn in zijn hand staan. Louise neemt een besluit en stopt de foto's in haar tas.

227

Louise remt af voor het huis van Kristina en Roland. De lichten zijn uit. Ze beseft dat ze al naar bed zijn, maar daar kan ze niets aan doen. Ze stapt uit en belt aan. Het duurt een poosje voordat het licht aangaat. Roland doet de deur open.

'Is er iets gebeurd?'

Louise wringt zich langs hem heen de hal in.

'Ik heb je hulp nodig. Nu!'

Kristina verschijnt in ochtendjas en loopt de trap af.

'Is er iets met mama aan de hand?'

'Nee.'

Louise laat Roland een foto zien en wijst op een van de afgebeelde mannen.

'Kun je zijn gezicht vergroten?'

'Midden in de nacht?'

'Nu.'

'Kan dat echt niet wachten tot morgen?'

'Nee. Kun je het of kun je het niet?'

'Godsamme, natuurlijk kan ik dat...'

Louise trekt hem mee de trap af naar de kelder. Kristina hoort een kind dat wakker is geworden en nu huilt. Ze loopt weer naar boven.

228

In de doka hebben Roland en Louise een middenstuk van de foto gemarkeerd. Terwijl het ontwikkelprocedé gaande is wachten ze af. Kristina staat toe te kijken, maar ze is verstandig genoeg om geen vragen te stellen. Ten slotte is de foto klaar. Louise bestudeert hem met een loep onder een felle lamp. Er staan wat merktekens op de foto, precies rond het midden. Louise denkt koortsachtig na. Ze probeert het te begrijpen, maar schudt haar hoofd.

'Is alles wel in orde?' vraagt Roland voorzichtig.

'Ja... Jazeker... Alles is in orde. Bedankt voor je hulp. Ik leg het later wel uit.'

Ze pakt de foto's en vertrekt. Ze kijken haar vragend na.

229

Louise is naar Edvin gereden. Alles is donker. Struikelend stapt ze uit de auto. Gewapend met een hamer opent Edvin de deur van zijn caravan. Het regent en Louise is nat. Wanneer hij haar binnenlaat, heeft ze tranen in haar ogen. Overal waakzame kattenogen. Louise drinkt koffie.

'Het kan niet anders in elkaar zitten. Volgens mij heb ik nog nooit zo erg naar een onmogelijke verklaring verlangd, maar die is er niet.'

'Wat bedoel je?'

'Jij had me die foto's gegeven. Zowel de oude als de nieuwe. Ik heb ze aan Henrik laten zien en hem gevraagd te vertellen welke gezichten hij herkende en welke hij nog nooit had gezien. Henrik is de enige aan wie ik ze heb laten zien. Niemand anders. Hij heeft met een pen op de foto's zitten trommelen en tikken. Waarschijnlijk uit nervositeit. Vervolgens vond ik afdrukken bij Mats Hansson thuis. En daar stonden tekens van Henriks pen op. Dus zijn die afdrukken gemaakt nádat hij ze had gezien. En hij is de enige die ze kan hebben gemaakt. Dus heeft Henrik Mats Hansson opgezocht en hem die foto's gegeven... Wat betekent dat? Henrik, die nooit naar Portugal is gegaan om te golfen... Is hij hier ook bij betrokken?'

'Waarbij betrokken?'

'Bij de mensen die Bengt Ingemarsson mogelijk hebben gemaakt. De mensen die... dit allemaal laten gebeuren.'

'Er moet een andere verklaring zijn.'

'Om een leugen te laten werken moet hij voor het grootste gedeelte uit waarheid bestaan. En dat weet Henrik. Beter dan de meesten.'

'Toch kan ik dit moeilijk geloven.'

'Nee, Edvin. Dat is niet zo. Het kost je alleen veel moeite om te beseffen dat je dit nu pas begrijpt. En dat geldt voor mij evenzeer.'

230

Louise ligt in elkaar gekropen onder een deken op de smalle brits in de caravan. Overal zijn katten.

Tijdens het vroege ochtendgloren verlaat Louise de caravan. Er hangen flarden mist. Edvin staat haar vanaf het trapje na te kijken.

Louise zit in de auto voor haar eigen huis, maar ze wil niet naar binnen.

Later diezelfde ochtend komt Tornman het politiebureau binnen. Louise zit op een bank op hem te wachten. Zonder hem te groeten gaat ze voor hem staan.

'Kende je zijn telefoonnummer uit je hoofd?'

'Wat bedoel je?'

'Je kende het waarschijnlijk uit je hoofd. Het kostte minder dan een minuut om hem te bellen en te waarschuwen.'

'Ik snap nog steeds niet wat je bedoelt.'

'Toen de politie kwam, was hij al vertrokken. En ik wil weten hoe het was om met Bengt Ingemarsson op de Middellandse Zee te zeilen. Je was toch te gast op zijn schip? Misschien speel je ook golf? En Hökberg? Wat is er met hem gebeurd?'

'Kalm aan, verdomme... We gaan naar mijn kamer!'

'Ik zal een vooronderzoek laten instellen naar jouw contacten met Bengt Ingemarsson. Joost mag weten wat we zullen vinden.'

'Je bent godverdomme helemaal gek geworden. Je denkt toch niet dat ik betrokken ben bij wat er is gebeurd?'

Louise pakt hem beet. Hij rukt zich los. Verbaasde agenten en bezoekers bekijken het optreden.

'Ik krijg hem niet veroordeeld! Ik krijg hem niet eens aangeklaagd. Maar jou kan ik wel pakken. Jou. En een aantal anderen!'

Ze verlaat het politiebureau.

Louise is in het verzorgingstehuis om haar moeder op te halen. Ze trekt haar gehaast en een beetje onzacht haar jas aan.

Ze zitten in de auto. Viola staart leeg voor zich uit, maar komt opeens tot leven.

'Waarom zijn je kinderen er niet bij?'

'Ik heb geen kinderen, mama. Ik kan geen kinderen krijgen.'

Haar moeder heeft het waarschijnlijk niet begrepen. Ze rijden verder.

Op het kerkhof. Ze naderen het graf, maar Viola weet niet waar ze is.

'Is er iemand dood?'

'Papa ligt hier toch…'

'Waarom heb je me dat niet verteld?'

Louise geeft geen antwoord.

Louise arriveert bij het OM. Ze voelt zich nu helemaal leeg.

'Er hebben een heleboel mensen voor je gebeld', zegt de receptioniste.

Louise neemt de briefjes mee, gaat op haar kamer in haar stoel zitten en bladert ze door. Henrik heeft verschillende keren gebeld.

En Irene Lundin. Ook nu gaat de telefoon, maar ze kan het niet opbrengen op te nemen. Love komt binnen.

'Kun jij een telefoontje aannemen?'

'Wie is het?'

'Mats Hansson.'

Louise denkt even na.

'Hem wil ik niet spreken. Zeg maar dat hij naar de hel kan lopen.'

'Dat kan ik niet zeggen.'

'Maar je kunt het wel denken!'

Love kijkt haar vragend aan. Ze bladert door haar schrijfblok tot ze een lege bladzijde heeft gevonden en noteert: *Ingemarsson = Mogensen.*

237

Irene en Louise zijn in de vissershaven. Louise ziet dat Leif van de kustwacht net uit het douanekantoor komt. Ze wenkt hem.

'Hallo, daar ben ik weer. Dit is Irene. Ga je de zee op?'

'Ik ga naar huis.'

Hij wijst naar zijn boot die vlakbij ligt afgemeerd.

'Heb je haast?'

'Niet echt.'

238

Ze zijn op zee en drijven naast het rotseilandje waar de schedel werd gevonden. Leif zet de motor uit en zwijgend dobberen ze rond op de verlaten zee. Irene is aangedaan. Leif wendt de steven weer naar het vasteland.

Louise en Irene zijn in een café gaan zitten waar verder niemand is.

'Het enige wat ik tegen je wil zeggen is dit: ik heb Bengt gezien. Maar ik weet niet waar hij nu is.'

'Waar heb je hem ontmoet?'

'Laten we zeggen dat dat vertrouwelijk moet blijven. Dat ik niet zeg waar. Maar volgens mij zal hij wel contact met je opnemen.'

'Heeft hij nog gezegd waarom hij was vertrokken?'

'Hij werd van diverse kanten onder druk gezet. En volgens mij beleefde hij ook geen plezier meer aan het spel.'

Ze drinken koffie. Door het raam zien ze dat het vaartuig van de kustwacht de kade verlaat.

240

Irene en Louise gaan in het centrum uiteen. De schemering is al ingevallen.

Louise rijdt door en parkeert bij de rechtbank. Ze gaat naar binnen. De rechtszaal is leeg.

241

Henrik rijdt door de straat. Opeens ziet hij Louises auto staan. Hij kijkt op zijn horloge. Het is niet waarschijnlijk dat er op dit late tijdstip zittingen plaatsvinden. Hij stopt en stapt uit.

Henrik komt de rechtszaal in. Ze zien elkaar.

'Wat is er aan de hand?' vraagt Henrik ontdaan.

'Degene die daar antwoord op kan geven ben jij.'

'Ik heb het over ons. Ik heb vandaag een spermamonster ingeleverd.'

Henrik maakt aanstalten Louise beet te pakken. Ze deinst achteruit.

'Raak me niet aan.'

'Ik herken je niet meer.'

'Alleen mijn haar zit anders.'

'Nee.'

Louise gaat in de stoel zitten die voor de getuigen bestemd is.

'Laten we aannemen dat ik de eed heb afgelegd. Dan zal ik nu een getuigenis afleggen. Ik ben zowel gekrenkt als geschokt door het feit dat de man met wie ik getrouwd ben, en die een gekozen wethouder is, achter ieders rug om en in het geheim diep betrokken is geweest bij de ernstige economische delicten die Bengt Ingemarsson heeft gepleegd. Ik weet niet waar je je geheime bankrekeningen hebt. Ik weet niet op welke manieren je zijn misdrijven hebt gefaciliteerd. Ik weet ook niet waarom je het hebt gedaan. Maar ik weet wel dat ik je veracht.'

'Ben je dronken?'

'Ik heb niet gedronken. Ik spreek gewoon de waarheid.'

'Je beschuldigingen zijn volkomen belachelijk.'

Louise staat snel op.

'Ga hier zitten. Leg je vingers op de bijbel. Of beloof dat je de waarheid zult spreken. Dan zal ik je een paar vragen stellen. Dan weten we tenminste of je antwoorden eerlijk zijn.'

'Ik heb niets te verbergen.'

'Maar je hebt wel de foto's die ik je heb gegeven opnieuw laten afdrukken en aan Mats Hansson gegeven. Eén ding wil ik weten. Eén ding maar. Waarom heb je het gedaan?'

'Ik snap nog steeds niet wat je bedoelt.'

'Wie heeft Edvins huis in brand gestoken? In welk opzicht wist hij te veel? Was het iemand als Färnström? Een kwajongen die overal voor te strikken is? Vertel! Ik wil het weten!'

'We houden hiermee op. We gaan naar huis. Dit is je allemaal naar het hoofd gestegen.'

'Daar heb je gelijk in. Maar niet op de manier die jij denkt. Wat ik al lang vermoedde is me eindelijk duidelijk geworden. Nu gaat het er alleen nog maar om dat het anderen ook duidelijk wordt.'

'Wat bedoel je daarmee?'

'Dat het nog steeds om Bengt Ingemarssons zaken gaat. Maar niet om hem. Of hij dood is of leeft, maakt niet uit. Het gaat om de mensen die hem mogelijk hebben gemaakt. Mensen zoals jij. En Mats Hansson. En Tornman. Daar gaat het om. Dat de mensen die in dit land leven de schellen van de ogen vallen. Dat hun wordt verteld dat ze in alle hoeken en gaten moeten zoeken. Want daar vind je mensen zoals jij. Jíj, Henrik.'

'Nu stoppen we hiermee en we gaan naar huis.'

Louise grist de hamer van de rechter naar zich toe en overhandigt die aan Henrik.

'Ga jij de zitting tussen Henrik en Louise Rehnström afhameren? Doe maar. Maar de zitting zal doorgaan. Dat kan ik je beloven.'

'We moeten hier toch op een verstandige manier over kunnen praten.'

'Dat veronderstelt dat jij de waarheid spreekt. En dat doe je niet.'

Louise maakt zich op om weg te gaan.

'Waar ga je naartoe?'

'Weg van hier. Het is beter dat jij gaat nadenken over wat je ter verdediging zult aanvoeren. Wanneer dit allemaal aan het licht komt.'

Louise vertrekt. Henrik staat er als versteend bij. Dan pakt hij zijn mobiele telefoon en toetst een nummer in, maar hij bedenkt zich. Wie kan hij eigenlijk bellen?

243

Louise zit in haar auto. Leeg, met tranen in de ogen. Ze pakt haar mobiele telefoon en belt Lena Nordgren.

Ze wil de wederwaardigheden rond Bengt Ingemarssons zakelijke transacties nu rustig en helder uiteenzetten.

Louise zit tegenover Lena Nordgren, die aantekeningen maakt en ook een bandrecorder laat lopen. De onthulling is groot en erg angstaanjagend. Het Zweedse model blijkt op fundamentele onderdelen tekort te schieten.

Wanneer Louise bijna uitgesproken is, gaan haar gedachten uit naar de zee, naar de rots die daar ligt, ver uit de kust.

Waar Zweden zowel begint als eindigt.

Henning Mankell bij De Geus

De Inspecteur Wallander-reeks

Moordenaar zonder gezicht

Inspecteur Kurt Wallander probeert de voortgang van het onderzoek naar een wrede dubbelmoord zo veel mogelijk buiten de publiciteit te houden. Toch lekt er informatie uit over de mogelijke betrokkenheid van in de nabijheid gehuisveste asielzoekers.

Honden van Riga

In een rubberboot treft de Zweedse politie twee doden aan. De mannen blijken voor hun executie gemarteld te zijn. Inspecteur Kurt Wallander volgt het spoor naar de Letse hoofdstad Riga, waar hij een pion dreigt te worden in een Baltische intrige.

De witte leeuwin

Tijdens het onderzoek naar de verdwijning van de Zweedse makelaar Louise Åkerblom komt inspecteur Kurt Wallander op het spoor van geheime voorbereidingen voor een politieke aanslag in Zuid-Afrika. Is hij nog op tijd om de aanslag te verijdelen?

De man die glimlachte

De moord op advocaat Torstensson wordt korte tijd later gevolgd door de moord op zijn zoon Sven, een vriend van Kurt Wallander. Tijdens het onderzoek komt Wallander in een wespennest van fraude terecht. Zijn tegenstander is een machtig zakenman zonder enige scrupules.

Dwaalsporen

Kurt Wallander moet hulpeloos toezien hoe een jonge vrouw zichzelf door verbranding van het leven berooft. Drie afschuwelijke moorden volgen. Het spoor voert Wallander naar een netwerk van smokkel en seksueel misbruik.

De vijfde vrouw

Drie even bizarre als gruwelijke moorden schokken het zuiden van Zweden. Kurt Wallander concludeert al snel dat de misdrijven verband houden en bewust geënsceneerd zijn als openbare executies. De vraag is wat de dader ermee wil zeggen.

Midzomermoord

Kurt Wallander gaat op zoek naar drie jongelui die na midzomernacht zijn verdwenen. Als hij met collega Svedberg wil overleggen, blijkt ook hij aanvankelijk onvindbaar, tot hij vermoord wordt aangetroffen in zijn eigen woning. Er lijkt een verband te zijn met de drie verdwenen jongeren.

De blinde muur

Hackers hebben het voorzien op het computersysteem van de Wereldbank teneinde de wereldeconomie in een chaos te storten. Inspecteur Kurt Wallander komt voor een geheel nieuw soort criminaliteit te staan: computermisdaad op internationale schaal.

De jonge Wallander

Kurt Wallander is een door de wol geverfde politie-inspecteur wanneer hij op 8 januari 1990 geconfronteerd wordt met de brute moord op een bejaard echtpaar waarmee de Wallander-reeks begint. In dit boek brengt Mankell een vijftal verhalen bijeen die licht werpen op Wallanders voorgeschiedenis en zijn eerste ervaringen als politieman.

Overige spanningromans van Henning Mankell

De terugkeer van de dansleraar

De 37-jarige inspecteur Stefan Lindman leest in de krant dat zijn gepensioneerde ex-collega en mentor Herbert Molin is vermoord. Lindman reist af naar de verscholen liggende boerderij waar Molin woonde en is afgeslacht. Daar vindt Lindman vreemde bloederige sporen. Het blijken de basispassen van de tango te zijn. Lindman doet nog een aangrijpende ontdekking: Molin is altijd het nazi-gedachtegoed trouw gebleven.

Voor de vorst

Linda Wallander staat op het punt in dienst te treden van het politiekorps waar haar vader Kurt inspecteur is. Wrevel ontstaat wanneer Linda haar vader ertoe probeert te bewegen de verdwijning van haar jeugdvriendin Anna serieus te nemen. Maar Kurt heeft andere dingen aan zijn hoofd: er loopt een sadist rond die dieren in brand steekt. Bovendien blijkt er ook nog een vermiste oudere vrouw vermoord te zijn op een manier die aan een religieus ritueel doet denken.

Het oog van de luipaard

Als Hans Olofson voor een korte reis naar Afrika gaat, kan hij niet weten dat hij er twintig jaar zal blijven. In plaats van in Uppsala zijn rechtenstudie te voltooien, neemt hij in Zambia een kippenfarm over van een Engelse vrouw. Hij ontfermt zich over de weduwe en de dochters van een zwarte arbeider. Maar als er dingen gebeuren die erop wijzen dat het leven niet zo snel te veranderen is, komt Hans in het nauw.

Overige romans van Henning Mankell

Daniël, zoon van de wind

Eind negentiende eeuw ontfermt de Zweedse avonturier Bengler zich over een negerjongetje, dat hij Daniël noemt en meeneemt naar Zweden. Als Bengler onverwachts het land moet verlaten, blijft Daniël achter in de hoede van een eenvoudig boerengezin.

Verteller van de wind

Het tragische leven en sterven van de jongen Nelio, die, na zijn vlucht voor de rebellen op het Afrikaanse platteland, op tienjarige leeftijd de leider wordt van een groep straatkinderen in de stad. Eerder verschenen als *Comédia infantil.*

Tea-Bag

Een Afrikaans meisje dat zichzelf Tea-Bag noemt, komt via Spanje in Zweden terecht. Daar woont ze een lezing bij van de dichter Jesper Humlin. Zij en enkele van haar lotgenoten willen hun ervaringen opschrijven en Humlin besluit hen te begeleiden.

Ik sterf, de herinnering leeft

Henning Mankell schrijft over aids: over de ravage die de ziekte aanricht onder de Afrikaanse bevolking en over de onverschilligheid van de rest van de wereld. Maar ook over zijn eigen angst voor de ziekte, en over zijn diepe verbondenheid met het continent waar hij al jarenlang een groot deel van het jaar verblijft.

Diepte

Aan het begin van de Eerste Wereldoorlog lopen de militaire spanningen tussen Duitsland en Rusland hoog op. Voor de veiligheid van de vloot zoekt het neutrale Zweden naar een meer beschermd gelegen route langs de grillige kust. Er is maar één man die zo'n opdracht kan uitvoeren: Lars Tobiasson-Svartman, een in zichzelf gekeerde dieptemeter. Als hij tijdens zijn tocht een vrouw ontmoet die alleen op een rotsachtig eiland woont, verliest hij de controle over zijn gevoelens.